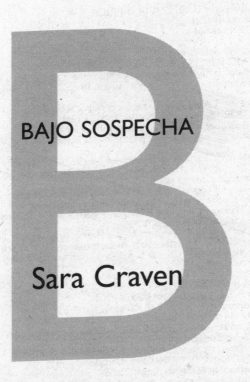

BAJO SOSPECHA

Sara Craven

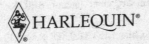

HARLEQUIN®

Editado por HARLEQUIN IBÉRICA, S.A.
Hermosilla, 21
28001 madrid

I.S.B.N.: 84-671-0993-9
Depósito legal: B-42843-2003
Editor responsable: M. T. Villar
Diseño cubierta: María J. Velasco Juez
Fotomecánica: PREIMPRESIÓN 2000
C/. Matilde Hernández, 34. 28019 Madrid
Impresión y encuadernación: LITOGRAFÍA ROSÉS, S.A.
C/. Energía, 11. 08850 Gavá (Barcelona)
Fecha impresión Argentina: 25.5.04
Distribuidor exclusivo para España: LOGISTA
Distribuidor para México: CODIPLYRSA
Distribuidores para Argentina: interior, BERTRAN, S.A.C. Vélez
Sársfield, 1950. Cap. Fed./ Buenos Aires y Gran Buenos Aires,
VACCARO SÁNCHEZ y Cía, S.A.
Distribuidor para Chile: DISTRIBUIDORA ALFA, S.A.

Capítulo 1

E STA», decidió Kate al cruzar el vestíbulo vacío del hotel, «ha sido definitivamente una mañana salida del infierno».

Se dejó caer en una silla junto a la ventana y se quitó los elegantes zapatos negros bajo el cobijo de la mesa; con discreción se masajeó el talón de un pie dolorido contra la pantorrilla de la otra pierna.

En el exterior, en el jardín iluminado por el sol, desmantelaban con rapidez y eficiencia la bonita tienda de rayas rosas y blancas.

Al recordar todas las horas y llamadas de teléfono que se habían necesitado para conseguirla, Kate observó la operación con auténtico pesar.

En el resto del hotel habían cesado todos los preparativos del menú cuidadosamente seleccionado para doscientas cincuenta personas; el champán se devolvía a la bodega, junto con el clarete y el chablis; y los teléfonos sonaban a medida que a los decepcionados invitados se les informaba de que, después de todo, su presencia no sería requerida.

Kate suspiró, abrió la carpeta que tenía ante sí y pasó un dedo por la lista redactada a toda velocidad. Preparar una boda era algo tedioso y complicado. Cancelarla el día mismo en que se iba a celebrar era casi igual de complejo, y probablemente el doble de caótico.

«Maldita sea Davina Brent», pensó con irritación, mirando las facturas de los subcontratistas. «¿Por qué no pudo decidir un mes o una semana antes, incluso ayer, que no quería pasar por ello?»

Aparte del drama y de las molestias de las últimas horas, también le habría ahorrado a su aturdida familia algunos gastos enormes, pero inevitables.

Era la primera vez desde que Kate y Louie, su amiga de los tiempos de la universidad, inauguraron Ocasiones Especiales que una novia se había negado a casarse la mañana de su boda. De hecho, en los tres años que llevaban funcionando, habían tenido muy pocos apuros en la organización de las fiestas, recepciones y acontecimientos especiales de otra gente.

Y ciertamente no hubo ninguna indicación de que la hermosa Davina iba a reaccionar de forma tan espectacular en el último minuto. Durante las charlas preliminares que Kate mantuvo con ella y con su desgraciado prometido, había parecido muy enamorada.

Pero, pensó con un encogimiento mental de hombros, ¿cómo podía saber qué pasaba por la vida o la cabeza de otras personas?

Durante un momento se quedó muy quieta, consciente de un extraño hormigueo por la espalda. «Un ganso caminando por mi tumba», pensó. «O un ángel que pasaba por encima».

Y se sobresaltó cuando delante de ella depositaron una copa. Si no se equivocaba, era un martini tal como le gustaba, muy seco, muy frío y con una pizca de limón. Sólo que no lo había pedido.

—Debe tratarse de algún error —comenzó, girando en la silla para mirar al camarero. Pero se encontró con el rostro serio de Peter Henderson, el padrino, que en ese momento vestía de manera informal con unos vaqueros y un jersey.

—Ningún error —indicó con sequedad—. Da la impresión de que necesitas una copa. Yo sé que la necesito —señaló el whisky que sostenía.

—Gracias por pensar en ello —le concedió una sonrisa fugaz y formal—. Pero tengo por norma no beber alcohol mientras trabajo.

—Pensé que en estas circunstancias ya estarías fuera de servicio.

—Aún quedan unos cabos sueltos que atar —Kate señaló la carpeta abierta.

—¿Puedo acompañarte o te estorbaré?

—Claro que no. Siéntate... por favor —bajo la mesa Kate buscó el zapato descartado.

—Permíteme —Peter Henderson se apoyó sobre una rodilla y con destreza le colocó el zapato antes de sentarse.

—Gracias —Kate fue consciente de un leve rubor en la cara.

—De nada —observó con abierto aprecio el pelo rubio oscuro, echado hacia atrás, de ella y la esbelta figura que resaltaba el elegante traje color frambuesa y la blusa negra de seda. Estiró la mano e hizo sonar su copa con la de Kate—. ¿Por qué brindamos? ¿Por el amor y la felicidad?

–En estas circunstancias, podría ser un campo minado –indicó ella–. Ciñámonos a algo breve y no complicado, como «Salud» –hizo una pausa–. ¿Cómo está tu hermano?

–No está bien –apretó los labios–. Destrozado, de hecho.

–Me lo imagino –volvió a titubear–. Lo... lo siento tanto.

–Quizá sea lo mejor –se encogió de hombros–. Si alguien tiene recelos reales, es preferible una ruptura limpia ahora a un divorcio hostil más adelante, cuando podría haber hijos involucrados y se corre el riesgo de causar un daño verdadero.

–Supongo que sí –coincidió lentamente Kate–. Pero parecían tan compenetrados. ¿Él sospechaba algo de las dudas de ella?

–Imagino que cualquier problema se atribuirá a los nervios –contempló el destello de platino en el dedo anular de Kate–. Trampa que al parecer tú lograste evitar.

–Cielos, fue hace tanto tiempo que ya no puedo recordarlo –repuso con ligereza.

–Seguro que no hace tanto, o te habrías casado siendo una niña.

–Por favor –Kate le lanzó una mirada irónica, consciente de que había vuelto a ruborizarse–. Han pasado cinco años.

–Toda una vida –dijo divertido–. ¿Te arrepientes?

–En absoluto. Somos muy felices. Demasiado –añadió, preguntándose por qué necesitaba ese énfasis adicional.

–¿Hijos?

–Todavía no –de nuevo fue consciente de los ojos azules que evaluaban su figura–. Ambos estamos asentando nuestras carreras –alzó el martini y después de todo le dio un sorbo, deleitándose en la sensación de frío en su garganta–. En el caso de Ryan un cambio de carrera –indicó.

–¿Algo que no apruebas?

–Todo lo contrario –se puso rígida–. ¿Qué te hace pensar eso?

–El hecho de que tomaras un trago antes de mencionarlo.

–Me temo que has establecido una conexión equivocada –rió–. La verdad es que los martinis son mi debilidad.

–¿La única?

–Intento limitarlas.

–¿Llamarme Peter sería considerado una debilidad?

De pronto ella fue consciente de un cambio ínfimo en su lenguaje corporal; se había relajado, volviéndose hacia él. Se puso recta y lo miró con frialdad.

–Posiblemente un error de juicio –recogió la carpeta y ordenó algunos papeles–. Y no muy profesional –añadió con rigidez.

–Pero conmigo no mantienes tratos de negocios. Como tú, lo que intento es recoger las piezas.

–En ese caso, ¿no deberías estar con tu hermano en vez de conmigo?

–Andrew está con nuestros padres. Se lo llevan a casa a pasar unos días –miró la copa con el ceño fruncido–. No sé si es bueno o malo. Mi madre tiende a ser más bien emocional, y además nunca ha sido fan de Davina. Quizá dificulte el acerca-miento.

–¿De verdad crees que eso podría pasar... a pe-sar de todo? –Kate enarcó las cejas.

–Tal vez... si los dejan pensárselo sin demasiadas interferencias –suspiró–. De hecho, no me sorpren-dería si algún día fueran a un juzgado y se casaran con unos testigos desconocidos. Ninguno de ellos quería tanto alboroto. Me pregunto si habrá sido tanta presión lo que impulsó a Davina a escapar.

–Espero que no –bebió el resto del martini y de-positó la copa en la mesa–. O podría desarrollar un complejo de culpa.

–Culpa a los padres de ambos –indicó–. Fueron ellos los que no pararon de aumentar la lista de personas que debían ser invitadas.

–Por lo general eso es lo que sucede –coincidió Kate–. Y he de reconocer que yo también lo habría odiado.

–¿Quieres decir que no tuviste el vestido blanco con cola, la flota de coches y el reparto interminab-le... cuando estás metida en este mundo?

–Pero entonces no trabajaba en esto –sonrió–. Hicimos lo que acabas de recomendar para Davina y Andrew. Un juzgado a primera hora de la ma-ñana, con dos testigos.

–¿Seguido de una felicidad constante?

–Jamás me atrevería a esperar eso –frunció el ceño–. Ni siquiera lo desearía. Suena muy abu-rrido.

–¿Así que el señor Dunstan y tú tenéis encontronazos esporádicos?

–Por supuesto –se encogió de hombros–. Ambos somos individuos en una relación que presupone un buen grado de unión y todo tipo de ajustes –hizo una pausa–. Y no es el señor Dunstan. Ese es mi apellido. El de mi esposo es Lassiter.

–¿Quieres decir que estás casada con Ryan Lassiter... el escritor?

–Sí –sonrió–. ¿Eres uno de sus fans?

–En realidad, sí –Peter Henderson pareció momentáneamente confuso–. Yo mismo empecé como corredor de bolsa, así que leí *Riesgo Justificado* en cuanto se editó. Me pareció asombroso... la combinación de altas finanzas y absoluta frialdad. Y el segundo libro fue igual de bueno, lo que no siempre es el caso.

–Se lo diré –indicó Kate–. Por suerte mucha gente comparte tu opinión.

–¿Trabaja en un tercer libro?

–En un cuarto –corrigió–. El tercero ya ha sido entregado y se publicará este otoño.

–No puedo esperar. ¿Y mientras él trabaja ante el teclado tú te dedicas a esto? –alargó la mano y recogió una de las tarjetas de visita que se había deslizado fuera de la carpeta–. Y con tu nombre de soltera –añadió despacio.

–Podría habernos ido mal –volvió a encogerse de hombros–. Pareció una buena idea mantener nuestras actividades individuales completamente separadas.

–Pero ahora vuelas alto, ¿no?

–Digamos que mantenemos el tipo en tiempos comercialmente difíciles –cerró la carpeta–. Por favor, guarda la tarjeta, por si uno de estos días planeas alguna celebración propia –le lanzó una mirada pícara–. Quizá incluso una recepción de boda.

–Dios no lo permita –tembló.

–¿Estás en contra del matrimonio?

–No para otras personas –la miró pensativo–. Aunque también ahí debería hacer excepciones.

Sus ojos se encontraron, se desafiaron, y para sorpresa de Kate ella fue la primera en apartarlos.

«¿Qué me pasa?», pensó, tragando saliva. «Soy una mujer adulta. Ya me habían intentado seducir antes, en muchas ocasiones. ¿Por qué ésta sería diferente?»

Con lo que reconoció como un esfuerzo deliberado, recogió el maletín negro del suelo, lo abrió y guardó la carpeta. Al ponerse de pie, le dirigió una sonrisa breve y distante a Peter Henderson.

–Bueno, gracias por la copa. Ya debo irme.

–¿Sí? –él echó hacia atrás su silla y se incorporó–. Esperaba que en cuanto quedaras libre de tus ocupaciones profesionales pudiéramos cenar juntos –hizo una pausa–. He decidido quedarme a pasar la noche aquí.

–Y yo he decidido regresar a Londres lo antes posible –el tono de voz de Kate salió más seco que lo que había pretendido.

–¿Huyendo, señorita Dunstan? –su sonrisa fue cautivadora y desenfadada. Bajó la vista a la tarjeta que sostenía–. ¿O puedo llamarte Kate?

–Si lo deseas –adrede miró el reloj–. Aunque no veo por qué podrías desearlo. A menos que decidas dar una fiesta uno de estos días, es improbable que volvamos a vernos. Aunque Andrew y Davina volvieran a juntarse, dudo que contrataran nuestros servicios una segunda vez.

–Sigo siendo optimista –le sonrió–. En todos los sentidos –tras una pausa, añadió–: Y creéme, señora Lassiter –recalcó el apellido casi con tono burlón–, si decido dar una fiesta, serás la primera en saberlo.

De pronto Kate sintió como tuviera pintada en la cara su propia sonrisa de despedida, igual que un payaso.

–Adiós, señor Henderson –se despidió y atravesó el vestíbulo del hotel sin mirar atrás.

Fue al tocador y le alegró encontrarlo vacío. Durante un momento se apoyó en la puerta, enfadada por tener la respiración agitada; esperó que su marcha hubiera sido tan digna como había pretendido.

«Pero no puedo garantizarlo», pensó, haciendo una mueca. «Y probablemente él fue consciente de ello, maldita sea».

Se acercó a la hilera de lavabos, se alisó el pelo ya inmaculado, añadió una capa innecesaria de carmín a los labios y luego se lavó las manos, un gesto simbólico que la obligó a reír.

«Reconócelo, Kate», le dijo a su reflejo, entre

divertida y culpable, «durante unos instantes sentiste la tentación».

Después de todo, Ryan no la esperaba hasta el día siguiente. Y sólo se trataba de una invitación a cenar. ¿Quién se iba a enterar si aceptaba... y dónde estaba el daño? «Tu matrimonio es sólido como una roca, ¿no?»

Durante un momento se quedó muy quieta, invocando la imagen de Ryan hasta que le dio la impresión de que estaba de pie a su lado, alto, relajado, con su rostro delgado que siempre sería atractivo más que guapo.

«Tan real», se maravilló, que casi podía oler la fragancia áspera y masculina de la colonia que usaba. Tan sexy, de un modo ecuánime, subestimado, que todo su cuerpo se contrajo en una excitación súbita e inesperada.

Vio sus largas piernas y caderas estrechas enfundadas en unos vaqueros viejos, con la camisa abierta al cuello y las mangas subidas alrededor de sus musculosos antebrazos. Ropa de trabajo... nada parecido a los trajes oscuros de ciudad que llevaba cuando ella lo conoció. Pero los cambios en Ryan eran mucho más profundos que lo que indicaba su apariencia. Y si era sincera, ese había sido uno de los aspectos de su nueva vida que más le había perturbado.

Cerró los ojos y desterró la imagen, borrando todo el incidente con Peter Henderson. Había sido una fugaz distracción en el suave discurrir de su vida, que no valía la pena volver a recordar.

—Es hora de regresar a casa —dijo en voz alta.

Desde el teléfono público del vestíbulo llamó al piso. Saltó el contestador automático, lo que indicaba que Ryan estaba trabajando.

–Hola, cariño. La boda se ha cancelado, no tardaré en volver. ¿Por qué no salimos a cenar fuera esta noche? Invito yo. Mira si puedes reservar mesa en Chez Berthe.

Pasó por la Recepción para informar de que se iba y comprobar que la cancelación no había provocado dificultades inesperadas.

–Todo está bien –la tranquilizó la joven detrás del mostrador–. Es una pena. Nadie aquí recuerda algo similar.

–Espero que no establezca una tendencia –repuso Kate mientras daba media vuelta.

–Oh, un momento, señorita Dunstan –la detuvo–. Casi lo olvidaba –exhibió una expresión de complicidad–. Han dejado esto para usted –le entregó un sobre que mostraba su nombre escrito a mano.

–Gracias –dijo con frialdad y lo metió en el bolso, maldiciendo en silencio la curiosidad de la recepcionista. Era importante dejar una imagen profesional, por lo que esbozó una sonrisa amable, pero formal–. No anticipo ningún problema más –añadió–, pero si surgiera algo puede llamarme a mi despacho o al móvil.

Aguardó hasta estar en su coche para abrir el sobre. Era la tarjeta de visita de Peter Henderson, pero en el dorso había escrito su numero particular.

Y debajo había añadido: *Te dije que era un optimista.*

Kate apretó los labios. Se sintió tentada a romper la tarjeta y tirarla a una papelera, pero no había ninguna cerca. Se desharía de ella luego, decidió, guardándola en la cartera. Después de añadirlo al archivo de clientes en el ordenador del despacho, por supuesto, corrigió. Eso lo neutralizaría. Lo reduciría a un contacto de negocios. Inocente, y potencialmente beneficioso. Fin de la historia.

El tráfico estaba milagrosamente fluido, por lo que se encontró en casa casi antes de lo que se había atrevido a esperar. Aparcó junto al Mercedes de Ryan en el aparcamiento subterráneo del edificio.

Subió a la última planta e introdujo la llave con sigilo, ya que Ryan aún estaría trabajando y era importante no molestarlo. Le gustaba la tranquilidad cuando escribía, aunque se mostraba razonablemente tolerante con las interrupciones, en especial cuando venían con una taza de café.

«Le daré media hora», pensó Kate mientras dejaba el maletín en un sofá.

Se quedó quieta al darse cuenta de que reinaba una quietud absoluta. Escuchó con atención, pero sólo había silencio. Se aclaró la garganta.

—Ryan... ¿estás aquí? —y por primera vez fue consciente de un leve eco. Desconcertada, pensó que debía estar en casa. Siempre estaba. Además, no se había llevado el coche.

En el otro extremo del salón vio la luz roja del contestador automático que parpadeaba. Al ponerlo, sólo escuchó su mensaje.

Miró en el dormitorio, en los dos cuartos de baño y luego en el despacho de Ryan, por si le había dejado una nota. Nada. Su escritorio estaba limpio.

«Claro», pensó. «No me esperaba hasta el día siguiente».

Se sintió absurdamente desinflada. Había vuelto a toda velocidad para estar a su lado, y él se hallaba en otra parte. No había mesa reservada en Chez Berthe, ni en ninguna otra parte.

Suspiró. Tendría que preparar algo de pasta, con atún y anchoas, y había algo de pan de ajo en el congelador. Sería mejor que empezara, pues Ryan no tardaría mucho... no si no se había llevado el Mercedes.

Por otro lado, comprendió al mirar inquieta a su alrededor, el piso se encontraba extrañamente ordenado... como si nadie hubiera estado allí en todo el día.

«Oh, para» se amonestó. «Sólo estoy decepcionada. No es para ponerme paranoica».

Entró en la cocina y llenó la cafetera. Se prepararía un café y luego se pondría a hacer la cena. Le daría una sorpresa cuando llegara. Al abrir el grifo vio dos copas de cristal en la pila. Enarcó las cejas. «¿Champán?», pensó. «Ryan casi nunca bebe champán. Prefiere el clarete».

Puso el agua a hervir y luego, siguiendo un impulso que no quiso analizar, abrió el cubo de la basura. Había una botella vacía de Krug, evidencia muda de que Ryan había estado bebiendo champán, y no solo.

Durante un momento se quedó mirando fijamente la botella; luego soltó la tapa y dio la vuelta.

«¿Y qué?», reflexionó, con un encogimiento de hombros mental. Estaba claro que había celebrado algo. Quizá Quentin, su agente, lo había llamado para darle buenas noticias sobre la opción cinematográfica del último libro.

Aún no podía creerse lo espectacular que había demostrado ser la nueva carrera de Ryan. Creía que estaba firmemente establecido en la Bolsa, y se quedó espantada cuando le anunció su decisión de dejar el mercado de valores para escribir su primera novela. Kate, cuya sociedad con Louie se hallaba en sus primeras fases tentativas, había intentado razonar con él, señalándole los riesgos que corría, pero él se mostró inamovible.

–No me gusta mi vida –le había dicho–. Miro a las personas que me rodean y veo que me estoy volviendo como ellas. No quiero eso. Esta es mi oportunidad de liberarme, y la aprovecharé. No tienes de qué preocuparte, Kate –había añadido con más gentileza–. Tengo dinero ahorrado para protegernos al principio. No dejaré que te mueras de hambre.

–No pensaba en mí –protestó ella–. Si dejas el trabajo no habrá modo de volver atrás. Y convertirte en escritor es un... salto tan grande al vacío. ¿Cómo sabes que podrás hacerlo?

–Jamás lo sabré hasta que lo intente.

–Supongo que no –había suspirado Kate –. Bueno, hazlo, si es lo que quieres. Después de todo, siempre tendremos Ocasiones Especiales para respaldarnos.

–Así es –había reinado un silencio, que él quebró en voz baja–. Casi lo olvidaba.

Pero al final demostró no ser necesario; el manuscrito de Ryan lo había leído Quentin Roscoe, que lo vendió por una suma de dinero que había hecho parpadear a Kate.

–Eres un genio –le había rodeado el cuello con los brazos, besándolo extasiada–. Ya nada puede pararnos.

«Aunque no todo había sido fácil», reconoció. Aún recordaba el día en que Ryan le anunció que tendría que realizar una gira por los Estados Unidos para promocionar *Riesgo Justificado*.

–Iré a todas las ciudades importantes –le había dicho entusiasmado–. Firmaré libros, concederé entrevistas a la radio y la televisión. Y, mientras trabajo, tú podrás salir de compras y disfrutar de las vistas.

–¿Yo? –la sonrisa de Kate se desvaneció. Se mordió el labio–. Cariño, no puedo acompañarte.

–¿De qué hablas? Claro que vas a venir. Está todo arreglado.

–Entonces tendré que desarreglarlo –repuso ella con sequedad–. Después de todo, ni siquiera fui consultada.

–A mí tampoco me consultaron –indicó Ryan con tono lóbrego–. Esto es lo que se supone que debo hacer, y he de agradecerlo. Es el tipo de oportunidad que no rechazas.

–Por supuesto que no, y no me cabe duda de que será maravilloso –a sus oídos la voz le pareció quebradiza–. Pero yo estoy demasiado ocupada con mi trabajo como para tomarme tanto tiempo libre.

–Louie lo entenderá... si se lo explicas.

–No hay nada que explicar –alzó la barbilla–. Igual que tú, tengo una carrera, Ryan... y una vida. No soy un... apéndice que se puede arrastrar siguiendo tu estela.

–En absoluto –coincidió él con demasiada cortesía–. Eres mi esposa, y busco un poco de apoyo.

–¿Y qué debo hacer, dejarlo todo y correr detrás de ti? –Kate sacudió la cabeza–. Lo siento, Ryan, pero no funciona así –titubeó–. Quizá si me hubieras dado más tiempo...

–Yo mismo acabo de enterarme –calló unos momentos–. Kate, te necesito a mi lado... por favor.

–Es imposible –insistió con obstinación. Vio la expresión abatida de él al darse la vuelta y se apresuró a añadir–: Quizá la próxima vez...

–Claro –dijo él con voz inexpresiva–. Siempre hay una próxima vez.

Pero no la había habido. Desde entonces Ryan había realizado varias giras de promoción, pero a ella no la había incluido en ninguna, aunque podría haberlo acompañado con el consentimiento de Louie.

–Eres una tonta –le había comentado su socia después de que Kate le contara lo sucedido–. Si Ryan fuera mío, no lo dejaría irse solo.

–No está solo –había protestado Kate–. Lo acompañan más personas... incluido un publicista.

–¿Hombre o mujer? –Louie la había mirado fijamente.

–No lo sé.

–Entonces averígualo. Yo soy una mujer soltera,

pero me da la impresión de que es un tipo de información que una esposa amante debe conocer.

–Oh, no seas ridícula –había protestado Kate con impaciencia–. Confío en Ryan –no obstante, cuando Ryan llegó a casa se oyó preguntarle–: ¿Qué tal te ha ido con el publicista?

–¿Grant? –Ryan había meneado la cabeza–. Un buen tipo, pero creo que yo soy su primer autor. Nos ayudamos mutuamente.

–Oh –Kate se había despreciado por sentirse aliviada.

La cafetera silbó y, con un sobresalto, la llevó de vuelta al presente.

«No es el tipo de viaje que quería hacer por la Avenida de los Recuerdos», reflexionó mientras se preparaba el café.

Debió provocarlo el encuentro con Peter Henderson. Sus preguntas habían reabierto varias heridas que había pensado que estaban cicatrizadas para siempre, y eso resultaba vagamente perturbador.

De acuerdo, no había deseado que Ryan pusiera en peligro su puesto de agente de bolsa. No podían culparla por eso. Pero nadie estaba más encantado que ella de que la apuesta hubiera dado sus frutos. «Los dos estamos haciendo lo que queremos. Tenemos una vida maravillosa y un matrimonio sólido», se dijo mientras regresaba al salón. Las cosas no podían ir mejor.

Había algo de correo junto al teléfono, publicidad y facturas por el aspecto que presentaba. Mientras repasaba las cartas una llamó su atención.

Era un sobre caro color crema, mecanografiado y dirigido escuetamente a «Kate Lassiter», con un matasellos de Londres.

Lo abrió y extrajo la única hoja que contenía. Desplegó el papel y bebió un sorbo de café.

No tenía ninguna dirección; nada salvo dos líneas de caligrafía marcada. Ocho palabras que saltaron de la página con una fuerza que la dejó atontada:

Tu marido ama a otra mujer.

Un amigo.

Capítulo 2

KATE se sentía embotada. Percibió un extraño rugido en los oídos, al tiempo que desde la distancia le llegaba el estrépito de loza al romperse, e hizo una mueca al notar el agua hirviendo en sus pies y piernas.

«He dejado caer mi taza de café», pensó con distanciamiento. «Debería limpiarlo antes de que manche el suelo. Debería...»

Pero no pudo moverse. Sólo fue capaz de leer esas ocho palabras una y otra vez, hasta que bailaron ante sus ojos, reagrupándose en extraños patrones sin sentido.

Sintió que doblaba los dedos sobre el papel y lo estrujaba, reduciéndolo a una bola compacta que tiró con violencia hasta donde le permitieron sus fuerzas.

Permaneció quieta un momento, limpiándose distraídamente las manos sobre la falda manchada de café; luego, con un grito ahogado, subió corriendo al cuarto de baño, donde vomitó.

Cuando el mundo dejó de dar vueltas, se quitó la ropa y se duchó con agua casi más caliente que la que podía soportar, como si deseara purificarse de alguna contaminación física.

Se secó y se puso unos leotardos y una túnica. Mientras se peinaba el pelo mojado le pareció contemplar a un fantasma. Un espectro de rostro blanco con ojos enormes y aturdidos.

Bajó y se dedicó a limpiar el café vertido, y agradeció el esfuerzo físico de quitar las manchas del parqué. Tendría que enviar la alfombra color crema a limpiar.

Entonces se paró en seco, incrédula. Su matrimonio estaba en ruinas y a ella le preocupaba una maldita alfombra.

–No es verdad –oyó su propia voz, áspera y trémula–. No puede ser verdad, o lo habría sabido. Seguro que habría percibido algo. Sólo es alguien que nos odia, que está celoso de nuestra felicidad.

La conclusión le puso la piel de gallina, pero con una mueca de dolor comprendió que era infinitamente preferible a cualquier otra posibilidad.

Se puso de pie y llevó los fragmentos de porcelana al cubo de la basura. Sintió una sacudida al ver la botella de champán. Antes de ser capaz de detenerse, alzó las copas de la pila y las estudió detenidamente a la luz del sol en busca de un rastro de carmín.

«Oh, por el amor del cielo», se recriminó. «No dejes que la maldad de alguien te vuelva paranoica».

Dejó las copas y con meticulosidad limpió todo. Luego se preparó otra taza de café y se sentó en uno de los sofás del salón. «No quiero que esto haya sucedido», pensó. «Quiero que todo vuelva a estar como estaba...»

En cierto sentido lamentaba haber regresado a casa. Tendría que haber aceptado la invitación de Peter Henderson de cenar en Gloucestershire. Pero eso no habría marcado ninguna diferencia. La carta habría estado esperándola a su vuelta.

Necesitaba encontrar algún modo de enfrentarse a la situación. Trazar algún plan de acción. Pero no sabía qué hacer. «Siempre podría buscar una confrontación directa», reconoció. «Darle la carta a Ryan y observar su reacción».

Dejó la taza vacía y recogió la bola de papel del rincón en el que había caído, alisándola.

«No puedo fingir que se trata de un asunto ligero... bromear con ello», pensó. «En cuanto él vea lo que hice con la hoja, sabrá que me importaba... que me irritó. No puedo permitirlo. No hasta que esté segura».

Bruscamente fue consciente de lo mucho que se había desviado de su incredulidad original. Recordó un artículo que leyó en una revista en la peluquería. Titulado *El Corazón Falso,* había detallado algunas de las maneras para comprobar si un hombre era infiel. «Y uno de los síntomas de mayor peligro», recordó con un vuelco del corazón, «eran las ausencias prolongadas e injustificadas».

–Ryan... ¿dónde demonios estás? –dijo en voz alta, casi desesperada.

«No», decidió apretando la mandíbula. No se permitiría pensar de ese modo. Cinco años de amor y confianza no se podían destruir con un simple acto de maldad. No lo permitiría. No iba a mencionarle la carta, se dijo, respirando hondo. De hecho, haría como si nunca la hubiera visto. Que no existía. No lanzaría ninguna acusación grave, no soltaría ninguna insinuación velada. Actuaría de forma completamente natural, afirmó con fiereza. Pero... también estaría en guardia.

Rompió la carta en dos, luego en cuatro, antes de reducirla a tiras y después a fragmentos ínfimos que depositó en un plato y quemó.

Hizo desaparecer las cenizas en la pila y deseó que sus palabras pudieran borrarse de su mente con igual facilidad.

Abrió una botella del burdeos favorito de Ryan. Un gesto amable y cariñoso para darle la bienvenida a casa. Salvo que no había una garantía absoluta de que regresara... Pero ya pensaría en ello cuando no quedara otra alternativa.

Se acurrucó en el sofá, bebió vino y miró la televisión, consciente de la luz que desaparecía del cielo encima del río. Pero las palabras y las imágenes de la pantalla pasaron de largo, como si fuera ciega y sorda. Tenía la mente ocupada con pensamientos perturbadores.

Con una sensación de desconcierto descubrió que reinaba una oscuridad total, y se dio cuenta de que llevaba sentada allí mucho tiempo. Eso reforzó el hecho de que todavía se hallaba injustificadamente sola.

«No va a volver», pensó angustiada. «¿Y cómo voy a soportarlo...?» El súbito sonido de una llave en la cerradura hizo que girara en redondo, con el corazón desbocado.

–¿Ryan? –preguntó sorprendida–. Oh, Ryan, eres tú.

–¿Esperabas a otra persona? –quiso saber con tono ligero, aunque la miró con ojos inquisitivos. Cerró la puerta y dejó el maletín.

–Claro que no, pero empezaba a preocuparme. No sabía dónde estabas.

–Lo siento, pero desconocía que estarías aquí para preocuparte –enarcó las cejas–. ¿A qué debo este inesperado placer?

Kate notó que Ryan llevaba sus pantalones grises preferidos, con una camisa blanca, una corbata de seda y la chaqueta negra de cachemira. En absoluto su indumentaria informal de los fines de semana.

–Oh, la novia se asustó y canceló la boda. La primera vez que le sucede eso a Ocasiones Especiales. Toda esa comida estupenda, y la tienda más bonita de Inglaterra, sin nadie para disfrutarlas –comprendió que empezaba a divagar y se mordió el labio.

–Ah, bueno –comentó Ryan–. Probablemente sea una bendición oculta. Un error menos para sumar a la experiencia. Un dígito menos que añadir a las estadísticas de divorcio.

–Es un punto de vista muy cínico –lo miró súbita y totalmente impresionada.

–Pensé que estaba siendo realista –hizo una pausa–. ¿Te causó muchos problemas?

–Los suficientes –se encogió de hombros–. Pero también me devolvió el fin de semana –titubeó–. Te llamé y te dejé un mensaje. Debiste estar fuera todo el día.

–Casi –asintió, quitándose la chaqueta y dejándola sobre un sofá.

Kate lo observó desabrocharse los primeros botones de la camisa con ansia súbita y primitiva. ¿Cuánto había pasado desde la última vez que hicieron el amor? Por lo menos unas tres semanas, comprendió con una mueca interior. Justo antes de experimentar aquel súbito dolor de estómago que le duró veinticuatro horas. «Pero he estado mucho fuera por trabajo», se recordó a la defensiva, «y Ryan a menudo trabaja hasta tarde, y estoy dormida cuando llega a la cama».

«Pero no esta noche», se prometió. «Me encargaré de tomar extremas precauciones para mantenerme despierta». Le sonrió.

–¿Te gustaría una copa de vino? No... no sabía qué hacer para cenar...

–Ya he cenado, gracias. Pero me encantará un poco de vino.

–Estás muy elegante –comentó con tono casual; le sirvió una copa y se la pasó–. ¿Has visto a Quentin?

–No –meneó la cabeza–; tenía que realizar algo de investigación.

–Oh –Kate volvió a llenarse su copa y se sentó–. Creía que eso lo hacías por Internet.

–No todo –dio vueltas inquieto por el salón. Se detuvo junto al teléfono–. ¿Ha habido algún otro mensaje?

–Al parecer no –Kate dio un sorbo de vino–. ¿Esperabas uno en particular?

–No. A propósito, había algunas cartas para ti. ¿Las viste?

–Sí. Oh, sí, gracias.

–¿Qué le ha sucedido al suelo –se detuvo y con el ceño fruncido bajó la vista–. ¿Y a la alfombra?

–Fue por mi torpeza –ella logró reír–. Tuve una pelea con una taza de café y perdí. ¿Se nota mucho? Mandaré la alfombra a que la limpien, y hay un producto especial para el parqué.

–No, déjalo –dijo Ryan con una mueca–. De hecho, me gusta la idea de que al fin hemos conseguido dejar nuestra marca en este lugar. Empezaba a pensar que íbamos a pasar por aquí sin dejar huella.

–¿Pasar? –repitió Kate–. Suena raro.

–Sólo es una forma de hablar –se encogió de hombros.

–Y no es «este lugar» –continuó ella con cierta vehemencia, sintiéndose incómoda–. Es un hogar. Nuestro hogar.

–¿De verdad, cariño? –Ryan rió–. Yo pensaba que era una especie de declaración.

–¿Y no puede ser ambas cosas? ¿Está mal que nuestro entorno exprese quiénes somos... nuestras aspiraciones y logros? –notó que alzaba la voz.

–Eso depende de las aspiraciones y logros –repuso él–. Aunque nadie que viera todo esto podría dudar del éxito que hemos tenido –alzó la copa en brindis irónico y se tragó el resto del vino–. Demostrado queda.

«Dios mío», pensó ella. «Casi nos estamos peleando, y eso es lo último que quiero». Dejó la copa y se acercó a él; le rodeó la cintura con los brazos y aspiró su familiar fragancia masculina.

–Bueno, a mí me encanta nuestro éxito –lo miró y habló con fingido reto–. Y más aún nuestra felicidad. Y, de regalo, el día de mañana lo pasaremos juntos –trazó el cuello abierto de su camisa con el dedo índice–. Domingo, dulce domingo, solos –bajó la voz–. Podemos levantarnos a la hora que deseemos. Dar un paseo por el parque o quedarnos en casa a leer el periódico. Descubrir un restaurante nuevo donde cenar. Como solíamos hacer antes.

–Lo siento, mi amor –meneó la cabeza–, pero mañana no. Iré a Whitmead a comer con la familia.

–¿Oh? –Kate se puso rígida al instante–. ¿Y cuándo lo decidiste?

–Mi madre llamó durante la semana.

–No lo mencionaste antes.

–No pensé que fuera a interesarte –la miró con curiosidad.

No añadió «Después de la última vez». «Aunque no hacía falta», pensó Kate. «La implicación estaba clara».

–Cariño –comenzó con voz apaciguadora–, no hablaba en serio cuando dije todas esas cosas estúpidas al volver a casa. Yo... perdí los nervios. Los dos los perdimos –sacudió la cabeza–. Simplemente me gustaría que tu madre entendiera que cuando tengamos una familia será por decisión propia y personal, adoptada cuando estemos preparados. Sin ninguna insistencia de ninguna parte.

–Hizo un comentario casual, Kate. No pretendía interferir. Ni iniciar la Tercera Guerra Mundial –calló un instante–. Después de todo, cuando nos casamos, un hijo formaba parte de nuestras prioridades. Y no hicimos un secreto de ello.

—Sí, pero todo cambió cuando dejaste tu trabajo —protestó Kate—. Yo tuve que ponerme a trabajar mientras tú te establecías como escritor. Lo sabes.

—Ya estoy establecido —comentó con suavidad.

—Y yo también —le recordó Kate—. Lo cual hace que resulte más difícil encontrar el momento adecuado. Algo que encaje con las exigencias de nuestras respectivas carreras. Tu madre debería verlo —titubeó—. Y no olvides lo que Jon y Carla Patterson nos comentaban la otra noche sobre los problemas que han experimentado buscando una niñera. Han tenido un desastre tras otro.

—Eso parece.

—Por lo tanto, no es algo en lo que debamos precipitarnos —continuó Kate—. Además, tu madre ya puede mimar a los hijos de tu hermana —añadió a la defensiva.

—Sin duda —coincidió él—. Pero no puedo prometerte que no suelte alguna indirecta más —hizo una ligera mueca—. Me temo que en mi familia no son muy discretos.

—Quizá no —se obligó a sonreír—. Entonces, ¿eso significa que estoy excluida de la invitación de mañana?

—En absoluto —indicó Ryan—. A todo el mundo le encantaría verte, pero yo di por hecho que estarías ocupada en tu despacho en cuanto regresaras de Gloucestershire, y por eso me disculpé por ti.

—Tienes toda la razón, desde luego —acordó sin entusiasmo. Se separó de él y se alejó—. He de completar un montón de papeles. Quizá la próxima vez.

–Podría ser lo mejor.

«¿Se lo imaginaba o parecía aliviado? Dios mío», pensó, mordiéndose el labio. «¿Soy tan mal pensada?» Volvió a girar en su dirección con una amplia sonrisa en la cara.

–¿Quieres un poco más de vino?

–Será mejor que no –dijo con pesar–. Necesito mantener la cabeza despejada.

–¿Es que vas a trabajar esta noche? –Kate no intentó ocultar su decepción.

–Debo realizar algunas correcciones. No tardaré mucho.

–¿No podría esperar hasta mañana? –Kate se arrodilló en el sofá y alargó un brazo para asirle la mano–. Te... te he echado de menos.

–He de salir pronto para Whitmead. Tengo que terminarlo hoy –se soltó la mano y pasó un dedo por la curva de la mejilla de ella–. Iré a toda velocidad.

–¿Es una promesa? –arrastró las palabras, mirándolo con ojos entornados.

–Compórtate –se inclinó y plantó un beso fugaz en su cabeza–. Te veré más tarde –recogió el maletín y se dirigió a su despacho, cerrando la puerta a su espalda.

Kate permaneció un momento donde estaba con la mirada en el vacío, luego recogió las copas de vino y las llevó a la cocina para lavarlas. Pudo ver su reflejo en la ventana encima del fregadero, pálida, la boca tensa y los ojos muy abiertos.

«Parezco... asustada», pensó aturdida. Pero no había nada de lo que asustarse, ¿verdad?

Sin duda no había sido un encuentro ideal. La reacción de Ryan a su regreso súbito no fue la que Kate había esperado. Aunque él siempre se preocupaba cuando el libro en el que trabajaba llegaba a una página determinada. En circunstancias normales, ella no lo habría vuelto a considerar.

Pero la vida ya no era normal. La carta anónima lo había cambiado todo. Esas ocho palabras habían eliminado las certezas. Y habían introducido el miedo que veía en sus ojos.

Ryan dijo que había estado investigando. Pero, ¿para qué clase de investigación se vestiría con chaqueta y corbata? Y la comida que había mencionado... ¿la tomó solo?

«¿Por qué no se lo pregunto?», reflexionó Kate, enroscando un mechón de pelo alrededor de un dedo en un gesto de la infancia. «¿Por qué no averiguo exactamente dónde ha estado? Y que incluso mencione el nombre del restaurante. ¿Quizá se debe a que no deseo oír las respuestas? ¿Porque tengo miedo de lo que puedo descubrir?» Experimentó un escalofrío y le dio la espalda a la cara tensa que la miraba desde el cristal.

Puede que Ryan no se sintiera desbordado al verla, pero ya no eran recién casados, por el amor del cielo. Eso no hacía que fuera culpable de nada. Y tampoco había un motivo real para que él cambiara sus planes. Ambos eran adultos con sus respectivas vidas.

Y tampoco quería ir a ver a la familia de Ryan el

domingo. No quería encontrarse con Sally y Ben y sus hijos ni oír las comparaciones. «Sé sincera. No deseas otra pelea en el viaje de vuelta».

Y tampoco debía ser intransigente con los padres de Ryan, ni siquiera en pensamiento, añadió con pesar. Porque los dos le caían bien... aunque la calidez, el encanto y la energía desbordante de la señora Lassiter la hicieran sentirse incómoda en ocasiones.

Sencillamente, no estaba acostumbrada al abierto afecto de la familia, a la franqueza en los temas personales. Su educación había sido muy diferente.

Suspiró y regresó al salón y durante un instante miró la puerta cerrada del despacho de Ryan. No había nada en el mundo que pudiera impedirle atravesar el espacio que los separaba.

Podría abrir esa puerta, entrar y preguntarle cuánto iba a tardar. Ya lo había hecho otras veces, y en muchas primero había dejado la ropa que llevaba tirada en el suelo.

Pero a pesar de que la boca se le curvó en una sonrisa reminiscente, sabía que esa noche no lo iba a hacer.

Cuando antes le rodeó la cintura con los brazos, él la abrazó, pero sin pasión. No hubo intimidad en su contacto. En el pasado la habría pegado a su cuerpo, habría buscado su boca y sus manos habrían redescubierto todas las rutas dulces y sensuales hacia su deseo mutuo.

Nunca antes se había ofrecido y sido rechazada.

«Aunque no fue un rechazo real», se tranquilizó

rápidamente. Después de todo, había dicho después, ¿no?

Pero, aunque ya era después, sabía que no iba a correr el riesgo. Dejaría que fuera él quien esa noche estableciera los parámetros.

Subió al dormitorio. En la cómoda encontró el camisón que por impulso compró el mes pasado y que aún no había estrenado. Lo extendió y lo observó con satisfacción.

Era de satén color crema, de sencillez clásica, con el corpiño muy revelador bajo las tiras de los hombros y la parte inferior para que exhibiera una ceñida caída.

«Era seductor», pensó. Nunca se presentaría una ocasión mejor para probar su efecto.

Se lo puso, se soltó el pelo sobre los hombros y añadió un toque de Patou's Joy en el cuello, las muñecas y los pechos.

Luego, dejando una lámpara tenue encendida, se echó sobre la cama para esperarlo.

«Y veremos si mañana se va temprano a Whitmead», pensó con una sonrisa. «O si tendrá que llamar a sus padres para informarles de que no podrá ir. Qué pena».

No dejó de girar la cabeza hacia las escaleras, con cada sentido alerta ante cualquier sonido o señal de movimiento. Pero no hubo nada. Ryan había dicho que no tardaría, pero el tiempo se hizo interminable.

Recordó la respiración profunda que había aprendido en sus clases de yoga en la universidad y su efecto balsámico. Se dejó hundir en el colchón y mientras inhalaba contó en silencio, contuvo el aliento y luego lo soltó poco a poco.

Gradualmente sintió que la tensión interior se mitigaba, pero al mismo tiempo empezó a sentir pesados los párpados.

«Dormir», pensó somnolienta. «No debo dormirme. Tengo que esperar... esperar a Ryan...»

Fue el frío lo que la despertó. Se sentó con un escalofrío, y girar la cabeza le reveló que seguía sola. El reloj le indicó que era más allá de la medianoche. Salió de la cama, se puso la bata y bajó al salón.

Ryan estaba dormido en uno de los sofás. La televisión zumbaba con la pantalla en blanco.

Kate la apagó antes de inclinarse sobre su marido para moverle el hombro con delicadeza.

—Ryan —susurró—. Cariño, no puedes quedarte aquí. Ven a la cama... por favor.

Él musitó algo ininteligible, pero no se movió, ni siquiera cuando ella lo sacudió con más fuerza.

Aguardó un momento más, luego, con gesto derrotado, volvió al dormitorio. Incluso bajo las sábanas, la cama grande era fría y nada invitadora.

«Bueno», pensó, «se quedó dormido ante el televisor. Sucede. No es nada importante».

Y de pronto descubrió que tenía muchas ganas de llorar. Porque sí era importante.

Capítulo 3

KATE abrió los ojos para descubrir la luz del día. Despacio se incorporó sobre un codo, al tiempo que se echaba el pelo hacia atrás y miraba a su alrededor, atontada por una noche inquieta repleta de sueños breves y perturbadores.

Lo primero que registró fue que la otra almohada estaba arrugada y el edredón doblado, lo que indicaba que Ryan había pasado al menos parte de la noche con ella.

Bueno, algo era algo... aunque no se hubiera molestado en despertarla.

Se dirigió al cuarto de baño. La toalla mojada de Ryan colgaba del toallero, y una fragancia agradable a colonia, pasta dentífrica y jabón impregnaba el aire húmedo. Pero él se había ido.

Al dar la vuelta decepcionada, un aroma leve, pero persuasivo de café penetró en su conciencia, y lo siguió hasta la cocina.

Ryan se hallaba ante la encimera, untando mantequilla en una tostada. Llevaba unos chinos viejos y una sencilla camisa blanca. Alrededor de los hombros colgaba una sudadera y el cabello aún estaba mojado por la ducha.

Kate se apoyó en el marco de la puerta y lo contempló, con un movimiento dejó que una de las tiras del camisón se deslizara por su hombro.

—Hola —saludó en voz baja.

—Hola —sonrió y le recorrió el cuerpo con la vista—. Estás decididamente hermosa, señora Lassiter. No creo que haya visto antes ese camisón.

—Se suponía que debías notarlo anoche —Kate le sonrió, consciente de que sus pezones se endurecían bajo su escrutinio, claramente perfilados contra el satén para deleite de él.

—Lo siento —no sonó demasiado arrepentido, ni tampoco se acercó a ella como Kate había esperado—. Trabajé más tiempo que el que planeé, y luego me atrapó algo en la televisión. Ya sabes cómo son esas cosas.

—Podrías haberme despertado... —reprendió suavemente—... cuando subiste a acostarte.

—Dormías como un bebé. No me atreví —sacó una jarra con zumo de naranja fresco de la nevera y le sirvió un vaso—. Su tónico de la mañana, señora.

—Se me ocurre un reanimador mejor —habló con voz ronca, mirándolo, sabiendo que le gustaba verla de esa manera, acalorada y con el pelo revuelto de dormir. Se ajustó la tira del camisón, dejando que las manos se demoraran unos momentos en sus pechos—. ¿Por qué no desayunamos... en la cama?

—Te lo dije anoche —sonó algo divertido—. En cuanto me haya bebido el café, me voy a Whitmead.

—Te invitaron a comer —intentó no transmitir demasiada queja–. Seguro que no tardas toda la mañana en llegar.

–Papá quiere que lo ayude con algunas vallas.

–Oh –Kate se irguió–. ¿Y eso se antepone a tu esposa?

–Hoy sí –depositó el vaso con zumo de naranja en la encimera–. Pareces haber olvidado que ni siquiera ibas a estar en casa –hizo una pausa–. Dime, Kate, si la boda se hubiera celebrado y yo hubiera insistido en que hoy me acompañaras, ¿habrías antepuesto eso a los preparativos habituales después de la ceremonia?

–No es justo –protestó ella–. Una boda, o cualquier tipo de fiesta, es totalmente diferente. La preparo de antemano y superviso la recogida de todo. En eso no tengo elección. Es trabajo.

–Por otro lado –él se encogió de hombros–, podría ser sencillamente una cuestión de prioridades. Y hoy las mías no las he decidido yo.

Dejó a un lado la tostada sin tocar y se dirigió a la puerta. Al pasar al lado de ella se detuvo, le sujetó las muñecas y de pronto la inmovilizó contra la pared.

Kate jadeó, entre indignada y excitada, al retorcerse en sus manos en un vano intento por liberarse.

Los ojos color avellana de Ryan eran intensos al observar cómo las pupilas de Kate se dilataban en el inicio de una excitación que era impotente para controlar.

Se adelantó y la besó despacio, casi con insolencia, mordisqueándole el labio con los dientes, deslizando la lengua sobre la de ella como si fuera seda en llamas.

La respuesta de ella fue inmediata. Pegó la boca a sus labios con dulzura y ansia. Alzó las manos que la sujetaban y las depositó en sus pechos.

«Es mío», pensó exultante.

Él le separó los muslos con la pierna, pegando el satén de su camisón contra el satén húmedo de su cuerpo en una fricción deliberada y tentadora que la obligó a soltar un gemido atormentado de la garganta.

Lo deseaba con tanto ardor que le dolía. Necesitaba sentirlo en su interior... ser tomada allí mismo, contra la pared o en el suelo. Quería ver su control elegante e irónico hecho pedazos. Poseerlo, saber que tenía la misma necesidad y desesperación que ella.

Incluso cuando él retrocedió, con respiración entrecortada, pensó que había ganado.

Enganchó los dedos bajo las tiras del camisón y tiró hacia abajo, dejando que los pliegues de satén se deslizaran por su cuerpo y cayeran en cascada alrededor de sus pies descalzos. Esperó, su desnudez un desafío, el cuerpo encendido y listo para su invasión.

Y vio que él le sonreía.

—Adiós, cariño —dijo con suavidad—. Jamás pienses que no tuve la tentación —dio la vuelta y se encaminó hacia la puerta de entrada.

Durante un segundo ella quedó demasiado aturdida para moverse o hablar. Luego la indignación la rescató.

–Bastardo –soltó con voz ahogada–. No se te ocurra dejarme.

Pero la única respuesta de Ryan fue enviarle un beso burlón al marcharse.

Kate apagó el ordenador y se quedó sentada mirando la pantalla en blanco. Sólo esperaba que lo que había introducido en la última hora tuviera algún sentido, aunque no estaba segura.

Por una vez, la mente no se había centrado en el trabajo que la ocupaba. No dejó de pensar en los acontecimientos de las últimas veinticuatro horas, como si se hallara atrapada en alguna rutina agotada.

Y la verdad ineludible era que, aparte de que Ryan pudiera tener una aventura, su propia relación con él parecía haber alcanzado una especie de línea divisoria.

Incluso en ese momento no podía creer el distanciamiento de su rechazo. Le quemaba pensar cómo la había visto ofrecerse para dar media vuelta e irse, dejándola allí de pie, desnuda y ridícula.

«Había hablado de tentación, pero le resultó muy fácil resistir su intento de seducción», reflexionó con amargura.

También estaba claro que no había tenido la más ligera intención de llevarla a Whitmead, aunque ella hubiera declarado su disposición a ir.

«No es de extrañar, después de decirle que el infierno se congelaría antes de volver allí», recordó incómoda. «Pero fue en el calor del momento. Teníamos una pelea, por el amor del cielo. Debía saber que no hablaba en serio».

La amable insistencia de su suegra por saber si iban a iniciar una familia debió sorprenderla con la guardia baja, porque había dicho algunas cosas desagradables acerca de que se negaba a convertirse en una fábrica de niños como Sally. Y, sin embargo, su cuñada le caía bien, y quería a Holly, de cuatro años, y a Tom, de dieciocho meses. Pero Sally, igual que su marido, había sido una economista de éxito antes de convertirse en madre a jornada completa, y cada vez que la veía cuidar con paciencia a sus hijos pensaba en el buen cerebro que se había desperdiciado.

Aunque Sally jamás había indicado, con palabras o actitudes, que no fuera plenamente feliz con su nueva vida. Todo lo contrario.

Y Ryan tiene razón, reconoció con una mueca. «Era la vida que habíamos planeado al casarnos. El bebé, la casa de campo, los perros... todo el conjunto. Sólo que los planes tuvieron que cambiar cuando él lo arriesgó todo con su cambio de carrera. A mí no me quedaba otra alternativa que trabajar para darnos seguridad, por si su apuesta no daba los frutos deseados. Y ahora que mi negocio va bien, no puedo permitirme el lujo de abandonar por motivos familiares. Primero, no sería justo para Louie», hizo una pausa. Ese era el momento en que habitualmente añadía a la defensiva: «Además, nos queda mucho tiempo por delante para todo eso».

Pero de pronto se le ocurrió que tal vez eso ya no fuera verdad.

«Ryan», pensó. Ryan y otra mujer. ¿Podía ser cierto después de todo? ¿Era ese el motivo de su actitud hacia ella? En realidad había dado por hecho que se encontraba en el piso trabajando durante su ausencia. Pero podía estar en cualquier parte, con cualquiera.

Sintió como si alguien la hubiera agarrado por el cuello y apretara poco a poco.

«Las copas de champán», recordó. «¿Por qué no le pregunté qué hacían en la pila? Habrían sido la excusa ideal para un leve tanteo. El momento perfecto habría sido después de hacer el amor», se dijo, y suspiró. Cuando estuvieran relajados el uno en brazos del otro.

Pero... eso no había sucedido. Y si había alguien más, quizá no volviera a suceder. Por primera vez se obligó a enfrentarse a esa inquietante posibilidad.

«No volver a tocarlo», imaginó atontada. «No volver a sentir sus manos labrando esa magia especial en su piel. Nunca más darle la bienvenida a su cuerpo como la otra mitad de sí misma en su extasiada espiral hacia la unión».

Desde el principio de su relación a Kate le había parecido un amante maravilloso, intuitivo y estimulante. Bajo su guía, ella había explorado las cumbres y simas de su propia sexualidad.

Incluso en los momentos tormentosos que afligían a cualquier matrimonio nuevo, siempre habían estado unidos en la cama, entregándose apasionadamente y sin reservas, usando el deseo mutuo para confortarse y sanar.

Pero la noche anterior, y también esa mañana, el

talismán no había funcionado. Y además de estar humillada se sentía asustada.

¿Por eso Ryan había elegido ir a Whitmead solo, para darle a su familia la noticia de que iba a ponerle fin a su matrimonio? ¿Podría ser esa la razón de que un sexto sentido le hubiera advertido a Kate de que no quería que lo acompañara?

¿Y ella simplemente iba a quedarse sentada y a dejar que sucediera?

«No», decidió. «Por supuesto que no».

Miró el reloj de pulsera. Si salía de inmediato, podría llegar a Whitmead a tiempo para la comida y, también, para cualquier posible anuncio que él fuera a realizar.

No la esperaban, pero pensó que la política de casa abierta de los Lassiter seguiría aplicándose a su nuera.

El era día cálido y soleado, y aunque el tráfico para salir de Londres era relativamente denso, casi todos los coches ponían rumbo a la costa. Kate fue en sentido contrario, a Surrey.

La Vieja Rectoría era una casa que se hallaba en las afueras del pueblo, junto a la parroquia, de ladrillos rojos y bonita, rodeada de un jardín irregular y un seto alto.

Lo más lógico era cruzar la cancela con el coche y aparcar en el camino de grava que llevaba a la puerta delantera, pero por motivos que no supo explicar, Kate decidió dejar el vehículo en el arcén a cierta distancia del edificio e ir a pie.

Al acercarse aminoró el paso y subió por el sendero que conducía a la puerta lateral. Como de costumbre, todas las puertas y ventanas de la casa estaban abiertas. Incómoda, se dio cuenta de que primero quería reconocer el terreno antes de que la vieran a ella.

De pronto se detuvo, consciente de que algo estaba mal.

Se agachó y apartó las ramas del seto con dedos nerviosos y se asomó. Aparcados delante de la casa se encontraban el Mini de la señora Lassiter y el antiguo Jaguar que era el ojo derecho de su marido. Al lado, como cabía esperar, estaba el todo terreno de Ben y Sally. Pero en ninguna parte se veía señal del Mercedes de Ryan.

«Dios mío», pensó, «no está aquí. Me dijo que venía a Whithead como excusa. Ha ido a otra parte... a ver a otra».

Mareada, se irguió, e hizo una mueca ante las ramas que se engancharon en su pelo; luego se paralizó cuando unos ladridos alegres empezaron a sonar del otro lado del seto, acompañados de otros más serios.

Había olvidado la sensibilidad auditiva de Thistle, el terrier, y de Algernon, el basset hound. Lo mejor era que regresara corriendo al coche antes de que los perros alertaran a alguien en la casa.

–¿Por qué te escondes en el seto, tía Kate?

Acallando un gemido, miró hacia la puerta lateral y vio a Holly de pie aferrada a un barrote que la observaba.

–No me escondo –mintió–. Me... me pareció oír los maullidos de un gato y vine a echar un vistazo.

–Algy no deja que vengan gatos –informó Holly.

–Entonces debí equivocarme –se obligó a sonreír–. No importa.

–¿Vienes a comer? –preguntó la niña.

–Creo... que sí –a Kate no se le ocurrió un modo de escapar, ya que Holly seguro que hablaría de su presencia en cuanto regresara a la casa. Pero, en ausencia de Ryan, ¿qué posible excusa podía dar para su presencia?

–¿Lo sabe la abuela?

–Todavía no –abrió la puerta–. Vamos a decírselo.

Con Holly a su lado y los perros detrás de ella, rodeó el jardín para ir a la parte trasera.

Como había imaginado, encontró a Mary Lassiter ocupada en la cocina, rodeada de multitud de aromas deliciosos y disfrutando de la compañía de su nieto más pequeño, absorto con una pasta gris que moldeaba con diversas formas.

–¿Kate? –la sonrisa indulgente de la señora Lassiter se desvaneció levemente al ver entrar a su nuera, y durante un fugaz momento la sustituyó con una expresión aprensiva–. Qué... qué agradable sorpresa –añadió con poca convicción–. Por lo que me dijo Ryan pensé que el trabajo te retenía en Londres.

–Logré acabar pronto –Kate fue consciente de que era la bienvenida más apagada que le habían dado en Whitmead–. Así que aquí estoy –continuó con falsa alegría–. Espero... no molestar.

–No, oh, no –aseguró la señora Lassiter sin mucho énfasis. Echó un vistazo angustiado al reloj de la cocina–. Ryan ha llevado a los demás al pueblo para comprar los periódicos y un poco de vino.

–Oh –Kate sintió que las rodillas se le aflojaban de alivio–. Me preguntaba qué le habría pasado.

–Me parece que van a parar a tomar algo en The Crown, por si quieres reunirte con ellos –Mary Lassiter frunció el ceño–. No oí tu coche.

–Aparqué camino abajo –reconoció, con la esperanza de que no le pidiera una explicación, al tiempo que se sentía más incómoda con cada momento que pasaba.

–Ya veo –dijo la otra con vaguedad–. Bueno, ¿quieres vigilar a Tom por mí, querida, mientras voy a poner otro cubierto en la mesa? Y cerciórate de que Algy no se lleve ninguna pasta de las que he preparado para el té –añadió con mirada severa en dirección al basset.

Kate se sentó a la mesa y observó el montón de masa de Tom.

–Eso es bonito –dijo–. ¿Es una tarta?

–No, tonta, es un monstruo –indicó Holly con desdén–. A Tom le gustan los monstruos.

–Gustan monstruos –corroboró el niño con su sonrisa arrebatadora, golpeando la masa sobre la tabla.

Kate le devolvió la sonrisa, deseando sentirse más a gusto con los dos. «Quizá es que no los veo demasiado», pensó. Y, siendo hija única, tenía muy poca experiencia con los niños y sus salidas inesperadas.

Tomó un trozo de pasta y comenzó a moldearlo en una rosa, recordando cómo su madre solía hacer lo mismo para decorar los pasteles.

—Debo irme —anunció de pronto Holly, apoyada en un pie—. Y la abuela ha cerrado la puerta, así que no puedo salir.

—Oh —Kate quedó perpleja—. Bueno, yo te la abriré —hizo una pausa—. ¿Quieres que vaya contigo al cuarto de baño?

—No lo sé —Holly se contorsionó.

—Te acompañaré por las dudas —la tranquilizó.

Holly no le permitió entrar con ella, ya que con suma delicadeza, para alivio de Kate, su sobrina le indicó que podía arreglárselas sola.

Esperaba fuera cuando oyó un leve tintineo en el teléfono del vestíbulo, lo que indicaba que acababan de colgar un auricular en alguna otra parte de la casa.

Alzó la vista y por las escaleras vio bajar a la señora Lassiter con expresión preocupada.

«Ha hecho una llamada desde arriba», pensó Kate, donde nadie la oiría. A Ryan... ¿le habría dicho que acababa de llegar? ¿Por qué? A menos, que él no hubiera ido solo. Al instante se recriminó no sólo por ser paranoica, sino ridícula.

Los Lassiter eran buenos padres, pero bastante convencionales. Mientras Ryan estuviera casado con ella, jamás lo animarían a que les presentara a otra mujer.

—Holly está en el cuarto de baño —explicó—. Será mejor que vaya a vigilar a Algy.

—Oh, por favor, querida —la señora Lassiter sacudió la cabeza–. La última vez que lo dejé solo se comió media docena de tartaletas de jamón, un queso y un pudin de cebolla –tembló–. No sé qué fue peor, el delito o las consecuencias.

Cuando Kate regresó a la cocina, Algy estaba sentado ante la puerta, reflejo vivo de la inocencia. Sólo las migas que aún le colgaban de los pesados labios lo delataban.

–Eres un ladrón terrible –lo reprendió, notando que por fortuna sólo había podido comerse un par de pastas.

–Ladrón –repitió Tom divertido cuando ella se sentó a su lado.

Algy meneó el rabo, luego se acercó y apoyó el morro en su rodilla, para poder babearle sus pantalones de lino.

–Añadiendo un insulto a la herida –le acarició la cabeza y bajó la palma de la mano por sus sedosas orejas.

Tom empezaba a ponerse nervioso, aburrido ya con la masa, así que al rato lo llevó al jardín, seguidos por el basset.

Bajo la sombra de un árbol había una mesa y sillas de metal labrado. Encima de la mesa había una jarra cubierta con limonada casera y unas copas; debajo estaba Thistle, levemente jadeante. Cerca vio una alfombra extendida sobre el césped, con varios coches de juguete.

Kate guió a Tom hacia esas distracciones, luego se sentó a la mesa y se sirvió un poco de limonada, esperando que su frescor desterrara la sensación asustada y seca que le atenazaba la garganta.

El sol atravesaba las hojas, el aire era fresco y el murmullo del tráfico en la distancia quedaba casi ahogado por el zumbido de las abejas.

A pesar de sí misma, Kate respiró hondo y alzó el rostro, dejando que la paz del jardín la tranquilizara; notó que parte de la tensión comenzaba a disiparse.

Cuando Tom se acercó con uno de los juguetes, pensó que sólo quería mostrárselo, pero tiró de su mano, dejando bien claro que esperaba que se le uniera en la hierba.

–No, Tom –se soltó con gentileza–. Sé bueno y ve a jugar –pero «bueno» no figuraba en su vocabulario. La carita redonda y solemne empezó a adquirir una expresión ominosa hasta que soltó un rugido

–Quiere que le construyas un garaje con el Lego –dijo Holly en su papel de fiel intérprete, apareciendo como por arte de magia.

–¿De verdad? –preguntó Kate. En realidad nunca antes había jugado con un Lego, e intentar encajar las piezas para darles una forma reconocible bajo las miradas críticas de Holly, Tom y los dos perros resultó una prueba difícil.

–Se tambalea –criticó Holly en cuanto Kate terminó–. Y no tiene ventanas. ¿Por qué?

–Yo sólo soy la constructora. Échale la culpa al arquitecto.

Pero Tom no se mostró tan quisquilloso. Sentado, lo miró unos minutos y luego le regaló a Kate una de sus radiantes sonrisas antes de acercarse sobre piernas inseguras y plantarle un beso pegajoso en la mejilla.

Fue un gesto del todo inesperado, y Kate se sintió extrañamente conmovida. En el pasado ninguno de los niños había sido muy expresivo con ella. Sabía que en más de una ocasión Sally les había advertido que no la molestaran. Pero sintió algo muy satisfactorio en el modo en que el confiado Tom apoyó su pequeño y robusto cuerpo contra ella. Y ni siquiera le importó que le hubiera dejado las huellas de su mano en la camisa.

Convenció a Holly de que la ayudara a construir algunas pistas con el resto de las piezas del Lego para que Tom introdujera por ellas sus coches; se hallaban sumidos en esa tarea cuando oyeron el sonido del Mercedes por el sendero.

–Mami –Holly salió corriendo por la hierba cuando el coche se detuvo y Sally bajó del asiento del pasajero y se inclinó para saludar a su hija. Los hombres fueron más parsimoniosos con los periódicos y diversas bolsas.

Durante un momento no se movieron y Kate pudo sentir cuatro pares de ojos que la atravesaban desde el otro lado del jardín. Al levantarse despacio, Tom tiró de sus pantalones y estiró los brazos en muda petición de que lo llevara.

–Se supone que debes caminar, Tom-Tom –le dijo con amabilidad usando el apodo que empleaba el resto de la familia, aunque de todos modos lo levantó en brazos y se quedó sosteniéndolo.

«No», corrigió mentalmente. «Aferrada a él». Porque de pronto fue consciente de que por dentro temblaba, y que el pequeño que tenía en brazos le servía como escudo.

Resultaba claro por sus reacciones, más cautas que sorprendidas, que la señora Lassiter había telefoneado al pub para advertirles de su presencia. Por qué lo hizo estaba más allá de la comprensión de Kate.

Necesitó todo su coraje para esbozar una sonrisa cuando avanzaron hacia ella, con Ryan a la cabeza. Tenía los ojos ocultos bajo unas gafas oscuras, y el resto de su cara parecía completamente inexpresiva.

Al recordar cómo se despidieron, a Kate se le hundió el corazón.

–Hola –los saludó, tratando de sonar indiferente–. Hacía un tiempo demasiado bueno para trabajar, así que decidí reunirme con vosotros –vio que Ben y Edward Lassiter intercambiaban miradas, y añadió–: Es...espero que no os importe.

–En absoluto, querida. No podría haber sido mejor –expresó con calor su suegro–. Te vemos muy poco. Se lo decía antes a Ryan.

–Kate, deja que sostenga a Tom –Sally avanzó con los ojos clavados en su hijo pequeño, que al verla no dejaba de moverse–. Es demasiado pesado para ti. Además, siempre está sucio –añadió un poco incómoda al recogerlo de los brazos de Kate–. Mira lo que le ha hecho a tu blusa. Oh, cielos, lo siento –meneó la cabeza ante su hijo–. Tom-Tom, ya te he dicho que no molestes a la tía Kate.

–No me molestaba, Sally –protestó Kate–. Y la blusa se puede lavar.

Pero Sally ya iba en dirección a la casa, reprendiendo con ternura al pequeño. Kate los observó marcharse, luego se volvió hacia su suegro con una sonrisa decidida en la cara.

–El... el jardín está precioso –aventuró con la esperanza de que fuera verdad.

–Tú pareces llevar parte de él encima –comentó Ryan. Se adelantó y le quitó un par de hojas del pelo–. ¿Cómo han llegado hasta ahí?

–La tía Kate se escondía en el seto –delató Holly saliendo de debajo de la mesa donde había estado con los perros.

–¿Se escondía en el seto? –repitió Ryan con cierta incredulidad.

–La vi al asomarme por la puerta –asintió la niña infernal.

–No ha sido así, Holly. No te inventes historias –dijo Ben.

–La vi –insistió la pequeña.

Kate, consciente de que Edward Lassiter y Ben la observaban con asombro, miró a Ryan y vio que hacía una ligera mueca divertida. Sintió que le subía algo de color a la cara.

–No me estaba escondiendo –expuso con dignidad–. Rodeaba la casa y me pareció escuchar a un animal herido... un gato.

–Sería un gato muy valiente el que se acercara a un kilómetro de la casa, querida –rió el señor Lassiter–. Algy y Thistle se ocupan de ellos. Pero fue un pensamiento muy humanitario.

–Sí que lo fue –Ryan se había quitado las gafas y la estudiaba–. ¿Y encontraste a esa... criatura afligida?

–Me temo que no –Kate se arrodilló sobre la alfombra y se ocupó guardando el Lego en su caja.

–Qué pena –murmuró él.

–Bueno, será mejor que llevemos esto dentro –indicó el señor Lassiter–. Comeremos en cinco minutos.

Ben y él se marcharon, dejando a Kate a solas con Ryan. Ésta continuó guardando el Lego, consciente de que le temblaban las manos.

Él se puso en cuclillas a su lado y levantó el garaje, observándolo con ojo crítico.

–Un concepto interesante –comentó.

–Oh, cállate –se lo quitó de las manos–. Además, a Tom le gustó. ¿Quieres pasarme esos coches, por favor?

–Hablando de coches... ¿qué hiciste con el tuyo?

–Lo dejé en alguna parte detrás del recodo –indicó con la mano.

–¿Tal vez para poder buscar más animales perdidos por el camino? –sacudió la cabeza–. No sabía que te interesara la flora y la fauna, cariño. Me ha dado una visión nueva de tu personalidad.

–¿El matrimonio no trata de eso? –lo miró–. ¿De dos personas que cambian... y crecen juntas?

–No lo sé, mi amor –repuso, sin que la sonrisa se reflejara en sus ojos–. Dímelo tú –apiló con cuidado los coches y se levantó, limpiándose las manos en los chinos–. Vayamos a comer.

Se inclinó y ayudó a Kate a incorporarse con las manos apoyadas con firmeza en sus hombros, lo que hizo que el cuerpo de ella hormigueara. La miró y los ojos se demoraron en sus labios entreabiertos. Kate sintió que se le aceleraba el pulso, y deseó que la besara. Necesitaba la reafirmación de su boca en la suya.

—Espero que tengas hambre —dijo él con suavidad, luego la soltó y fue a la casa por el jardín.

Kate se quedó mirando su retirada. El sol caía con todo su calor, pero ella sintió frío hasta la médula.

«Venir ha sido un claro error», pensó, tragando saliva. En ese momento no sabía cómo reparar la situación, ni siquiera si podía hacerlo.

Y de pronto supo que nunca había sentido tanto miedo.

Capítulo 4

LE HE echado un vistazo a los menús de esa nueva empresa de catering –anunció Louie–. ¿Seguro que vas a emplearlos? ¿Kate? –chasqueó los dedos–. ¿Estás en trance?

Kate, que tenía la vista clavada en la página con números que había ante ella, se sobresalto con gesto culpable.

–Lo siento, Lou. Pensaba en otra cosa. ¿Qué decías?

–Estos menús, cariño –los miró consternada–. Suprema de pollo en salsa de champiñones, chuletas de cordero a la menta, estofado de carne. ¿Acaso damos premios a la originalidad?

–Pensé que podríamos recurrir a ellos para la cena de jubilación del mes próximo –suspiró–. Según su esposa, el invitado de honor tiene el estómago delicado, y sólo le gusta la comida sencilla.

–Está la comida sencilla y la abiertamente horrible –gruñó Louie–. Debemos pensar en nuestra reputación –palmeó a Kate en el hombro–. Pero tú sabes lo que haces.

«Me pregunto si lo sé», pensó con amargura.

–Sugiero que probemos con ellos una vez a ver qué pasa –dijo. Alzó la vista y observó que Louie la miraba con los ojos entrecerrados por encima de las gafas.

–Tienes el aspecto de alguien que ha sido lavado, estrujado y dejado a secar. ¿Has sido afortunada y no has dormido?

–No, nada de eso –se ruborizó un poco. No podrías estar más alejada de la realidad, pensó, y contuvo una mueca de dolor. Se obligó a sonreír–. En realidad creo que ayer pasé mucho tiempo bajo el sol, y me ha dado un ligero dolor de cabeza.

–Pensé que tenías una naturaleza de lagarto –Louie se mostró sorprendida–. Que te echabas sobre una roca y te asabas lentamente todo el día.

–Al parecer ya no es así –decidida, se concentró en su trabajo.

–¿Seguro que estás bien? –insistió Louie–. Das la impresión de ser una mujer con problemas.

En silencio Kate maldijo la percepción de su amiga. Tuvo la tentación de contarle todo, desde la carta anónima, pero algo la retuvo, advirtiéndole de que en cuanto ese genio escapara de la botella no podría volver a encerrarlo.

Si había una crisis en su matrimonio, era algo de lo que tendría que ocuparse sola, a menos que llegara a la fase en que resultara imposible seguir ocultando la verdad.

Si Ryan la dejaba, por ejemplo, pensó, y sintió que un dolor le retorcía las entrañas.

–No puedo engañarte, ¿verdad? –exageró la expresión–. Ayer me tocó almorzar con los suegros. Aún me estoy recuperando.

–Creía que te caían bien –Louie frunció el ceño.

–Y así es... en serio. Pero eso no impide que me sienta como alguien de fuera cuando estoy con ellos mucho tiempo –a Kate le extrañó la intensidad que notó en su voz. Era consciente del día anterior, en que flotó como una sombra; y de la noche anterior.

–¿Sabe Ryan lo que sientes?

–En este momento Ryan y yo tenemos ligeros problemas de comunicación –se encogió de hombros y soltó una risa frágil–. Tengo entendido que son corrientes, y que los experimentan hasta los mejores matrimonios.

–Bueno, sin duda tú tienes uno de los mejores matrimonios –aseguró Louie–. Así que deberías saberlo. Aunque yo me cercioraría de que se trata de algo momentáneo –le dio otra palmada en el hombro y se marchó.

«Era un buen consejo», reflexionó echándose atrás en el sillón cuando la puerta se cerró. Pero, ¿cómo podía comunicarse con alguien que al parecer se había rodeado de una muralla de cristal? Y no es que se hubiera peleado con ella, ni siquiera que le hubiera dicho que no tenía por qué seguirlo, ni hecho un comentario airado. Sencillamente, y de un modo extraño, había estado inalcanzable.

Deseó con todo su corazón no haber ido a Whitmead. Todo el día había sido un absoluto desastre. La comida, como siempre, fue deliciosa, aunque a Kate le pareció estar comiendo cartón. Y hubo tantos silencios incómodos. En un momento, al entrar en el salón, interrumpió una conversación en voz baja entre la señora Lassiter y Sally, que cesó en cuanto ella apareció.

«Como si todos supieran algo que yo desconocía... y que no estaban preparados para hablar en mi presencia», se dijo consternada. «Y quizá fuera así», se vio obligada a reconocer. Ryan estaba próximo a sus padres. No sería tan reacio como ella en lo de compartir sus problemas.

Si ella tuviera a su madre cerca, en vez de vivir en España con su segundo marido, haría lo mismo.

Se mordió el labio. «No», pensó con tristeza. «No, yo no lo haría. Mamá y yo nunca hemos tenido esa relación. Siempre estuvimos demasiado ocupadas manteniendo la cabeza financieramente por encima del agua».

Una mezcla de orgullo y valor la había mantenido en Whitmead todo el día. Se marchó justo después de que lo hiciera Ryan, pero no tomó la ruta directa a Londres. Se había dicho que tenía mucho en lo que pensar, pero en el corazón sabía que no había querido llegar al piso vacío.

Mientras conducía llegó a la conclusión de que las cosas no podían seguir de esa manera. Debía enfrentarse a Ryan y exigirle la verdad, sin importar lo dolorosa que pudiera resultar.

Al entrar en casa una franja de luz por debajo de la puerta del despacho le indicó que Ryan estaba allí, supuestamente trabajando.

«O sólo manteniéndome a distancia», había pensado con tristeza. Jugó con la idea de ir a preguntarle qué pasaba, pero la costumbre de no perturbarlo era demasiado fuerte.

Cuando él salió al fin del despacho, ella estaba sentada ante el televisor, en apariencia concentrada en un programa.

–¿Algo bueno?

–Basura total –mintió Kate, que no quería reconocer que no se había enterado de nada de lo que veía y oía–. He preparado una ensalada Waldorf para cenar. ¿Te gustaría comerla con pan francés?

–Suena demasiado bueno para ser verdad –Ryan se sentó y de inmediato quedó absorto con la televisión–. ¿Te he contado que Quentin cree que el último libro va a llevarse a la pantalla como una miniserie? –comentó cuando ella volvió al salón con una bandeja.

–Cariño... es una noticia maravillosa. ¿O no? –añadió al ver su sonrisa irónica.

–Creo que es demasiado pronto para saberlo. Depende del guión que escriban y de quién la interprete. El consejo de Quentin es que acepte el dinero y corra, pero me gustaría retener algún vestigio de control artístico, si puedo.

–Bueno, aún me sigue pareciendo fantástico. Deberíamos celebrarlo –Kate hizo una pausa, a punto de poner un pie en hielo quebradizo–. ¿Tenemos algo de champán? –preguntó con tono demasiado indiferente.

–No lo creo –repuso él tras una pausa–. Pero hay un buen Pomerol que llevo tiempo deseando abrir. ¿Lo haces tú?

–Sí –aceptó, aunque quiso decirle que a veces él bebía champán, pero no se atrevió–. Sí, desde luego, el Pomerol será perfecto –servido el vino, alzó la copa para brindar–. Por nosotros. ¿Quentin te llamó esta tarde?

–No. Lo se desde hace unos días.

–Y no te molestaste en decírmelo –lo miró fijamente.

–Los dos hemos estado bastante ocupados –se encogió de hombros.

–Bueno, gracias por recordarlo al fin.

–De nada –le sonrió impasible–. ¿Te he dicho alguna vez que preparas la mejor ensalada Waldorf del mundo?

–Una o dos veces –dejó el tenedor–. Ryan... no me mantengas al margen –las palabras le salieron de forma instintiva, y si él hacía alguna broma creía que podía morirse.

–¿Eso es lo que hago? –preguntó con expresión seria.

–No... no lo sé. Da la impresión de que ya no nos dedicamos el mismo tiempo que antes.

–No estamos de luna de miel –indicó–. Y nuestras vidas han cambiado. Los dos tenemos unos trabajos exigentes.

–¿No podríamos tener una segunda luna de miel? –jugó con la copa.

–¿Volver a Burdeos a comprar más vino?

–No necesariamente. Y desconocía que ese había sido el objetivo principal del viaje –calló–. Pensaba... en una isla, en alguna parte.

–Tengo el futuro inmediato bastante ocupado. Quizá podríamos irnos unos días en otoño.

–Quizá –esbozó una sonrisa tensa–. Cotejaremos nuestras agendas –«pero no es eso lo que quiero», pensó. «Quiero que me muestres unos billetes de avión y que me digas que ponga un biquini y un vestido en un bolso y que me olvide de la ropa interior. Quiero que mandemos al infierno nuestros plazos y clientes y que... que nos marchemos juntos como solíamos hacer. Pero tú nunca podrías volver atrás. Sólo sabes avanzar». Hubo una época en que ella había visto su futuro juntos como un camino recto y brillante por el que marcharían lado a lado. Empezaba a convertirse en líneas paralelas. Recogió los platos–. Hay queso y fruta.

–Para mí nada más, gracias –le sonrió.

–¿Vas a trabajar esta noche? –al ver que él enarcaba las cejas se apresuró a añadir–: Porque pensé que podríamos escuchar un poco de música. Hace siglos que no lo hacemos –«hace siglos que no hacemos muchas cosas», pensó.

–De acuerdo –aceptó él–. Pero con algunas condiciones –las enumeró con los dedos–. Cada uno elige una canción, nada de muecas ante la selección del otro, ni hablamos mientras escuchamos, tampoco nos quedamos dormidos...

–Sólo lo hice una vez –indicó Kate indignada–. Y por eso yo elijo primero.

Lo hizo con cuidado, eligiendo piezas que tenían algún significado íntimo y especial para los dos. Al sentarse junto a él deseó que recordara. Fue intensamente consciente de su cuerpo relajado y estirado a su lado. Quiso que la acercara a él para apoyar la cabeza en su hombro.

Pero Ryan se quedó como estaba, con los brazos cruzados detrás de la cabeza.

«La última selección fue inspirada», pensó. Era uno de los primeros compact disc que habían comprado mientras vivían en el antiguo apartamento. *Variaciones sobre un Tema de Paganini,* de Rachmaninov. Habían hecho el amor sobre una alfombra mientras la gloriosa y romántica música inundaba el salón.

«No puede haberlo olvidado», pensó, mirándolo de soslayo.

Y vio que contenía un bostezo.

–Lo siento, cariño –le sonrió con gesto de disculpa–, pero estoy agotado. Ayudar a mi padre con la valla me ha dejado exhausto.

–Bueno, será mejor que te vayas a la cama –ocultó su decepción con una sonrisa–. Yo recogeré aquí.

Cuando subió al dormitorio, él leía.

«No se ha quedado dormido», notó exultante. Tal vez la esperaba?

Se desvistió en el cuarto de baño. No se molestó en ponerse el camisón. Sólo se dio unos toques de Patou's Joy en puntos clave.

Cuando regresó al cuarto Ryan había dejado el libro y apagado la lámpara de su lado.

«De momento todo estupendo», pensó Kate al deslizarse en la cama y arrebujarse contra él, los pechos desnudos apoyados en la espalda desnuda de Ryan mientras una mano le acariciaba el suave costado.

–Ráscame la espalda, ¿quieres, Katie?

Hacía tiempo que no la llamaba así, recordó mientras sacaba la pequeña botella de aceite aromático del cajón de la mesita. Se arrodilló a su lado y aplicó un poco sobre su espalda y empezó a ocuparse de su columna vertebral y de sus músculos tensos. Escuchó su murmullo de placer mientras repetía el movimiento una y otra vez y notaba que los músculos comenzaban a aflojarse.

La misma Kate no era inmune a lo que estaba haciendo. La sensación que le producía la piel de Ryan bajo sus manos tenía una profunda carga erótica. Fue consciente de que se le habían endurecido los pezones y del sensual hormigueo en el mismo núcleo de su feminidad.

Inclinó la cabeza y con los labios lentamente siguió el curso que habían tomado sus manos. Lo mordisqueó con suavidad en el cuello y con los dientes tiró de su oreja.

–¿Por qué no te das la vuelta y dejas que te cure todos los músculos doloridos? –preguntó con un susurro. Y esperó que se girara y la atrajera sobre él, penetrando en la oscura humedad de su cuerpo con un gemido de satisfacción.

Pero no se movió. Tampoco tenía la respiración entrecortada por el deseo encendido, sino regular y plácida.

«Dios mío», pensó Kate, desgarrada entre la furia y la frustración física. «No me lo creo. Lo he hecho dormir».

«Fui mucho más provechosa para él que para mí misma», reflexionó de vuelta en el presente, mirando la pantalla del ordenador. «Yo no dejé de dar vueltas casi toda la noche, consciente del sosegado sueño de Ryan a mi lado».

Aunque al final se durmió, para despertar con el sonido de la ducha y los silbidos alegres de Ryan en el cuarto de baño, como si no le importara nada en el mundo.

En el pasado un masaje en la espalda lo habría excitado mucho. Nunca había fallado en responder a sus manipulaciones.

Daba la impresión de que en su relación empezaba a emerger un patrón que Kate ni se atrevía a considerar.

Él salió del baño secándose la cabeza y con una toalla alrededor de las caderas.

—Buenos días, Katie —su sonrisa había sido tan casual como su saludo—. ¿Has dormido bien?

—Está claro que tú sí —no pudo ocultar la nota irónica en su voz, aunque Ryan pareció no notarlo.

—Te dije que estaba agotado —se peinó y luego tiró la toalla que lo cubría al suelo al buscar unos calzoncillos en la cómoda—. Además, tienes una manos sanadoras, amor mío.

Ni manos sexys ni excitantes, sino sanadoras. La buena y servicial Katie, pensó con furia. Sonaba como un personaje adorable salido de una serie de televisión.

—Gracias... supongo —había respondido con frialdad, apartando la sábana para salir de la cama. En el pasado nunca se había sentido cohibida desnuda ante Ryan, pero al pasar junto a él en dirección al baño cada centímetro de su cuerpo había parecido arder de rubor.

«Pero eso es lo que te hacía la indiferencia de un hombre», pensó con congoja, reviviendo cada paso. «Sentías que debías cubrirte toda y pasar de puntillas».

¿Cuánto tiempo podría continuar de esa manera?

Al mediodía llamó a casa para sugerirle que comieran juntos, pero estaba puesto el contestador y colgó sin dejar ningún mensaje.

Quizá estuviera trabajando y no deseara ser interrumpido. O podría estar en alguna parte... con otra. No quiso saberlo.

A pesar de sus pensamientos sombríos, logró acabar con las tareas del día, aunque supo que por primera vez no les había dedicado toda su atención. Le daba los últimos toques a un menú para unas bodas de plata cuando Louie entró agitada.

–¿Conoces algún restaurante griego de verdad? Guy quiere llevar a su mujer a celebrar su aniversario lo más cerca de su luna de miel en Corfú como le sea posible.

–¿Y por qué no la lleva de vuelta a Corfú? –preguntó Kate con sarcasmo.

–Esa no es la actitud correcta –reprendió Louie–. Nuestro negocio es Ocasiones Especiales, ¿recuerdas?

–Lo sé –suspiró–. Lo siento. Lo pensaré esta noche.

–¿Por qué no te vas ahora? –sugirió mirándola un buen rato–. Llevas apagada todo el día. Quizá te venga bien irte pronto. Dedícale algo de tiempo a Ryan. Demonios, festeja tu propia Ocasión Especial.

–Tal vez –repuso–. Puede que no sea una mala idea.

Se comportaría con normalidad, decidió de camino a casa. Bastaba de intentos de seducción que sólo terminaban en humillación y frustración para ella. A cambio intentaría reabrir las vías de comunicación. Averiguaría si quedaba algo.

«¿Y si no quedaba nada?», se preguntó con desesperación. «¿Entonces qué? ¿Qué podría hacer... cómo podría sobrevivir?»

Sacudió la cabeza con incredulidad. Apenas cuarenta y ocho horas antes había tenido el control total. Pero en ese momento parecía una gallina perdida. Sin importar cuáles fueran las consecuencias, eso no podía continuar.

El piso se hallaba en silencio, pero la puerta del despacho de Ryan estaba cerrada, lo que indicaba que se encontraba trabajando. Por lo general no lo habría interrumpido, pero las circunstancias presentes no tenían nada de normal. Cuando fue a abrir la puerta se detuvo, ya que lo oyó hablar.

Era evidente que mantenía una conversación telefónica, en voz no muy alta, pero las paredes eran finas, y ella estaba demasiado cerca como para no escucharlo.

–No –la voz sonó clara y tranquilizadora–. Ella no tiene ni idea, lo juro –un silencio breve, luego–: Sí, por supuesto que es sólo cuestión de tiempo antes de que se dé cuenta, pero nos ocuparemos de ello en su debido momento. No debes preocuparte. Es mi problema. Adiós, cariño –y colgó.

Kate se quedó paralizada con la mano extendida aún hacia la puerta, como si se hubiera convertido en piedra. ¿Cuál era ese dicho sobre los que escuchaban a hurtadillas?, pensó atontada. Que jamás oían nada a su favor. Y, como muchos tópicos, de una forma dura y amarga, escondía cierta verdad.

Quiso romper la puerta con las manos. Quiso gritar y despotricar y golpearlo. Ryan, su marido... un traidor.

Pero no hizo nada de eso. En vez de abrir la puerta y entrar, llamó con suavidad y esperó.

Cuando abrió la miró de arriba abajo con el ceño levemente fruncido.

—Espero que sea importante —dijo con fría cortesía.

Ella quiso preguntar si tan importante como la conversación que acababa de mantener, pero el pánico la enmudeció.

—Kate —una velada nota de impaciencia—. ¿Qué pasa? —frunció más el ceño al observarla—. ¿Algo va mal?

Ese era el momento de exponerle que sabía que estaba enamorado de otra mujer y que eso la estaba matando.

—Creo... que voy a vomitar —anunció con voz ronca. Tuvo una arcada, se cubrió la boca y corrió a trompicones hasta el baño.

Los diez minutos que siguieron fueron dolorosos y desagradables, y la dejaron totalmente vacía y con la cabeza dándole vueltas.

Ni siquiera se dio cuenta de que Ryan había ido tras ella hasta que se arrodilló a su lado y le apoyó la cabeza en su hombro al tiempo que le limpiaba la cara con una toalla húmeda.

—Gracias —logró decir.

–Shhh. No hace falta que digas nada –la ayudó a levantarse y a salir del cuarto de baño.

La sentó en el borde de la cama, le quitó los zapatos y comenzó a desabotonarle la blusa con dedos amables, pero impersonales, y eso era lo peor de todo. La confirmación definitiva de la pesadilla.

–Yo puedo –un resto de orgullo la obligó a pronunciar las palabras en un susurro agónico mientras sentía una lágrima abrasadora por la mejilla.

–Lo sé. Pero igual pretendo ayudarte –la desvistió como si fuera una niña, le pasó el camisón por la cabeza, apartó el edredón y la introdujo en la cama–. Y tampoco hay necesidad de que llores.

«¿No? ¿No?», pensó ella con desesperación.

–Lo sé –confirmó en voz alta. Acercó una caja de pañuelos de papel–. Odio vomitar, eso es todo.

–Lo sé –guardó silencio unos momentos, luego añadió–: Será mejor que llame a mi madre... para ver si alguien más se ha indispuesto.

–Oh, no –le sujetó la manga–. Es... estoy segura de que no es por nada que haya comido. Quiero decir... es evidente que tú estás bien y yo... bueno, no me he sentido muy bien en todo el día.

–Ya veo. ¿Por eso has vuelto más temprano?

–Es uno de los motivos –evitó su mirada.

–Fue toda una sorpresa.

–Me... me gustaría que hubiera sido una sorpresa más agradable para ambos.

–¿Quieres un poco de brandy? –preguntó tras un silencio tenso.

–Sólo un vaso con agua, por favor. En la nevera hay.

Lo observó salir y luego sacó un espejo de la mesilla. Hizo una mueca al verse: cara pálida, ojos hundidos y el pelo que le colgaba en mechones húmedos y lacios.

Si le pidiera a Ryan que le dijera la verdad en ese momento, puede que mintiera por pena, para ahorrarle ese dolor. «No necesito simpatía», se dijo, guardando el espejo. «Necesito saber. Pero también quiero estar de pie y ser fuerte, para luchar». A menos que la perspectiva de perderlo tuviera los mismos efectos físicos sobre ella.

Cuando Ryan regresó con el agua, le dio las gracias y la bebió, consciente de su escrutinio.

—Te sentiste mal hace unas semanas —comentó él de repente—. La última vez fue algo del estómago. También Louie lo padeció. ¿Y esta vez?

—Probablemente sea lo mismo —descartó ella—. En cualquier caso, ahora me siento mucho mejor. De hecho, estoy bien.

—Pareces un fantasma. Sugiero que duermas un poco.

—Seguro que tienes razón —bebió un poco más de agua—. ¿Vas a... volver a trabajar?

—Tengo que hacerlo —no pareció muy decepcionado—. Pero intentaré no despertarte cuando suba. Y si te vuelves a sentir mal, llámame.

Al darse la vuelta, ella pensó con desesperación: «No te vayas. No me dejes».

—Ryan —dijo casi sin voz. Vio que él se detenía ante las escaleras y enarcaba las cejas.

—¿Sucede algo?

–Sólo quería... –Kate no tuvo valor–... darte las gracias por cuidarme.

–Es parte del servicio del matrimonio, ¿no? –dijo con suavidad–. «En la riqueza y en la pobreza... En la enfermedad y en la salud...»

–Me parece que no incluyeron eso en el registro civil –sacudió la cabeza y se obligó a sonreír, aunque pareció más una mueca.

–Deberían haberlo hecho –y bajó.

Kate se dejó caer sobre la almohada y cerró los ojos, contemplando una oscuridad mayor que la que jamás había experimentado.

¿Y qué hay de «Hasta que la muerte nos separe»?, se preguntó con un nudo en la garganta. ¿Había sido una omisión deliberada?

Supuso que lo más valiente y orgulloso sería ofrecerle a Ryan la libertad, pero no se sentía ni valiente ni orgullosa.

Se sentía asustada y confundida, y, sí, incrédula. ¿Era posible que hubieran dejado que su breve matrimonio se marchitara y muriera, sin darse cuenta de ello? ¿Qué Ryan en algún punto hubiera dejado de ser su amante, su amigo, su compañero, y ella no lo hubiera notado?

Lo que sí sabía era que no estaba preparada para entregárselo a alguna mujer desconocida. No sin ofrecer resistencia.

«Conoce a tu enemigo», pensó. Eso era lo que necesitaba conseguir averiguar, la identidad de su rival, ver a quién se enfrentaba, y luego ponerse manos a la obra.

La carta anónima debió venir de la otra mujer.

No había otra explicación, y si «X» estaba preparada para correr ese tipo de riesgo quizá no se hallaba muy segura de la posición que ocupaba. Tal vez esa era su forma de forzar la situación. Las palabras tranquilizadoras de Ryan seguro que fueron malas noticias para ella. Debía sentirse en ascuas, preguntándose si Kate había llegado a recibir la carta.

«Enviar la carta pudo haber sido un movimiento estúpido, porque me ha hecho conocer su existencia. Y si quiere guerra, estoy preparada para dársela, cuando la encuentre».

Entonces se puso de lado, y para su propia sorpresa cayó en un sueño profundo y sin pesadillas.

Capítulo 5

DESPERTÓ y nada le indicó que era más tarde que de costumbre. Pero un vistazo al reloj se lo confirmó.

–Oh, Dios –hizo a un lado las sábanas y recogió la bata. Se lanzó escaleras abajo.

Ryan se encontraba de pie ante una de las ventanas del salón con una taza de café en la mano. Se volvió al oírla.

–¿Cuál es la prisa?

–Llego muy tarde –repuso de camino a la cocina–. No escuché el despertador.

–Yo lo desconecté –la siguió y la observó mientras ponía la tetera al fuego e introducía una bolsita de té en una taza y comenzaba a cortar unas rodajas de limón–. Deja que yo lo haga –avanzó y le quitó el cuchillo de la mano.

–¿Por qué?

–Porque tú aún estás medio dormida, y no quiero que te cortes los dedos en vez del limón –hizo una mueca irónica–. Además, si manchas todo de sangre estropearías los muebles de la cocina.

–No me refería a eso –dijo con impaciencia–. ¿Por qué desconectaste mi despertador?

–Me pareció que necesitabas dormir –Ryan añadió la rodaja de limón a la taza y vertió el agua hirviendo–. Y como ayer vomitaste, pensé que hoy quizá te tomaras el día libre.

–¿Crees que debería hacerlo?

–Yo diría que es una decisión que debes tomar tú –la miró–. Tú sabes cómo te sientes.

–Hmmm –jugó con la cucharilla y lo miró de reojo–. ¿No prefieres tener el piso para ti solo cuando trabajas?

–Yo no voy a estar –tiró la bolsita de té y le pasó la taza aromática.

–Comprendo –bebió un sorbo con cautela–. ¿Tienes programado algo interesante? –no era fácil sonar indiferente, cuando lo que quería era tirarlo al suelo y sacarle la verdad con cigarrillos encendidos.

–Un poco de todo –lavó su taza vacía–. Al mediodía voy a almorzar con mi editor.

–Oh –Kate se relajó un poco. Con Joe Hartley no iba a descarriarse demasiado; era su editor desde que Ryan se vinculó a Chatsworth Blair. Joe era un hombre relajado, divertido y de ingenio afilado, con una esposa a la que adoraba. Ryan no encontraría simpatía en él–. Estupendo –continuó con auténtico afecto–. ¿Cómo está Joe?

–Bien –dijo después de un silencio.

A Kate le pareció detectar un deje extraño en su voz y lo observó, pero parecía tranquilo.

–Ya sé –prosiguió–. Hoy al mediodía no tengo nada especial. ¿Por qué no me reúno con vosotros? Hace siglos que no veo a Joe.

–En esta ocasión no, cariño –repuso con amabilidad–. Es un almuerzo de trabajo. Voy a entregar el primer borrador del nuevo libro, y hablaremos de ello. Ya sabes lo mucho que te aburren las charlas literarias.

–No es verdad –protestó–. Me interesa mucho tu trabajo.

–Sí, cuando se trata de ir a firmar libros a Harrods –su sonrisa mitigó sus palabras–. Pero no te fascinan demasiado los misteriosos procesos que trasladan las palabras a la página. Reconócelo.

–Es posible –asintió despacio–. Pero ello se debe a que las palabras te alejan de mí –no era lo que había pretendido decir.

–Estoy aquí, Kate –su voz sonó suave y extrañamente intensa–. Siempre he estado aquí. Escribir es un oficio solitario. Eres tú quien se va a trabajar, quien conoce a gente, quien cierra tratos.

«¿Qué intentaba decirle?», se preguntó Kate con una súbita punzada de dolor. «¿Que incluso cuando se marchara ella tendría aún una vida?»

–Y si no me marcho de inmediato no cerraré ningún trato.

–¿Seguro que te sientes con ánimos?

–Lista para la lucha. ¿Está libre el baño?

–Es todo tuyo –se frotó la barbilla–. Me afeité después de ducharme.

–Déjame olerte –en un impulso, dejó la taza, se acercó a él y se puso de puntillas. Era una de sus bromas íntimas. Estaba tan familiarizada con su olor, que si le vendaban los ojos y lo mezclaban con cien hombres más, no titubearía en reconocerlo–. Oh, Dios –recordó cómo solía mordisquearlo, incapaz de saciarse de él–. Hueles de maravilla.

Y él la levantaría en brazos, con manos ansiosas y voz ronca. «Y tú también, Kate... *Katie*...»

A menudo ese juego los había conducido a la cama, ajenos al tiempo, a sus obligaciones. Ajenos de hecho a todo menos a sus mutuas necesidades.

Ningún matrimonio podía sobrevivir siempre con esa intensidad, se dijo Kate. «Pero no haría ningún mal recordarle lo que habían vivido juntos. Y lo que todavía podían tener». Respiró hondo, hundiendo la nariz en su mejilla, en el mismo momento en que sus sentidos captaban una diferencia. Dio un paso atrás.

–Has cambiado de colonia.

–Sí, esta es la que compré en el aeropuerto en mi último viaje. ¿Te gusta?

–No... no lo sé –era mucho más ligera y floral que la habitual. ¿Le gustaba a X?– Lo que pasa es que no me pareces tú.

–Ah –dijo con ligereza él–. Quizá sea el comienzo de un yo nuevo.

«Sí», pensó Kate mientras subía al cuarto de baño. «Eso es lo que temo».

«Por otro lado, tal vez yo sea demasiado la misma», pensó mientras se miraba, vestida y lista ya para otro día de trabajo. La corta falda azul, la inmaculada blusa de seda, la chaqueta roja cruzada eran casi un uniforme. Se ponía una versión similar de lo mismo todos los días. No demasiado formal para la oficina, pero lo bastante elegante como para reunirse con los clientes. Aunque no muy excitante, eso era seguro.

No pensó que los ojos de Ryan se iluminaran cuando la vieran.

Y tenía razón, porque cuando bajó lo vio hablando por teléfono, y ni siquiera notó su presencia.

–Perfecto –dijo–. A la una en punto. Lo deseo –colgó, escribió algo en el cuaderno que había junto al teléfono, arrancó la hoja y se la guardó en el bolsillo.

–¿Chatsworth Blair? –lo miró con curiosidad.

–Confirmaba el almuerzo –asintió, centrado ya en el mundo solitario en el que vivía y al que ella no podía seguirlo. Recogió su maletín y se dirigió a la puerta–. Nos vemos luego.

–Que tengas un buen día –deseó ella a su espalda–. Dale recuerdos a Joe –pero ya cerraba y no dio la impresión de oírla.

Kate recogió su propio maletín y bolso y se acercó a activar el contestador automático. Se quedó quieta un momento, mirando el bloc en blanco. Había una escena en una película que le había gustado, una de Hitchcock con Cary Grant, en la que él leía un mensaje que se suponía que no debía ver al pasar un lápiz sobre las marcas dejadas en la siguiente hoja de papel.

Como si actuara por voluntad ajena, levantó el lápiz y pasó la punta sobre las marcas.

–Amaryllis –leyó en voz alta, luego frunció el ceño. Ese era el restaurante nuevo que habían abierto en Denbigh Street hacía una o dos semanas, pensó desconcertada. Y Joe Hartley siempre lleva a Ryan a Scotts, porque a los dos les encanta el pescado. Es un ritual para ellos.

Arrancó la hoja despacio y la guardó en el bolso.

Todo parecía cambiar, reflexionó, desde lo de importancia vital hasta lo relativamente trivial. Se sentía como una niña a la que le robaban toda seguridad, y no le gustaba.

Fue una mañana nerviosa. Kate temía el interrogatorio de Louie sobre cómo había ido la noche anterior, pero, quizá con fortuna, su socia tuvo que ocuparse de la crisis de último minuto para reemplazar a su florista favorita, que se había roto una muñeca y sería incapaz de atender los arreglos prometidos para una boda inminente.

Mientras se ocupaba del ajetreo de la mañana, su mente repasaba todo lo sucedido. Le preocupaba especialmente el motivo que podía tener Ryan para rechazar su compañía durante el almuerzo. Se preguntó si de verdad creía que no le interesaba su trabajo.

Incómoda, pensó si eso habría introducido la primera cuña entre ellos, impulsándolo a buscar otra relación. ¿Acaso X se sentaba a sus pies, leyendo todas y cada una de sus palabras y ofreciendo una crítica constructiva? ¿Fue así como lo consiguió?

Cuando Debbie, su ayudante, asomó la cabeza por la puerta para preguntarle a Kate si deseaba que le llevara los mismos bocadillos para comer, tomó una decisión repentina.

–No, gracias, voy a salir. Deb, ¿podrías traerme la carpeta con las críticas de los nuevos restaurantes?

«Iré a reunirme con ellos. Siempre me he llevado bien con Joe, y podremos jugar a seducirnos... hacer que Ryan vuelva a verme como una mujer y demostrarle que sí me interesa lo que hace. De paso lo sorprenderé con mi interés inteligente».

Por dos veces leyó lo que los críticos tenían que decir sobre Amaryllis. Parecía que no tenía nada que ver con la elegancia minimalista. «Exuberantes platos franceses con una decoración a tono», decía una cita. «Mucho terciopelo rojo y mesas discretamente íntimas», indicaba otra, que añadía: «Una especie de *bordello* gastronómico».

–¿Sí? –musitó Kate. No parecía el lugar más propicio para entregar un manuscrito. Tampoco para la prolija, pero nada llamativa ropa de trabajo.

Su tienda favorita tenía justo lo que necesitaba, un vestido de lana ceñido color miel, con un pronunciado escote en V, mangas cortas y largo hasta media pierna, con un corte adicional al costado que lo hacía más atractivo. Kate añadió unas sandalias color tostado y un bolso ínfimo a juego; metió la ropa de trabajo en una bolsa y dijo que pasaría luego a recogerlas.

El taxi la dejó al final de Denbigh Street. Mientras caminaba despacio hacia el restaurante, un obrero que pintaba la fachada de una tienda le silbó, algo políticamente incorrecto por su parte que, de todos modos, animó el desdichado corazón de Kate.

Amaryllis no sólo protegía la intimidad de sus clientes con terciopelo rojo, sino que los ventanales ahumados mostraban profusión de plantas en grandes macetas de cerámica.

Kate, fingiendo que leía el menú expuesto a la entrada, intentó realizar un reconocimiento preliminar por entre el follaje, pero se rindió.

—¿Puedo ayudarla, *madame*?

Sobresaltada por la súbita presencia del maître, estuvo a punto de tirar el soporte de hierro forjado donde guardaban los menús.

—Lo siento —musitó, consternada. No era la entrada ecuánime y fría que había planeado—. Me gustaría almorzar.

—Lo lamento, *madame* —el maitre extendió las manos—, pero tenemos todas las mesas reservadas. Tal vez desee hacer una reserva para otro día.

El tono que empleó no fue demasiado efusivo, sugiriendo que después de verla actuar con el soporte para los menús la visualizaba avanzando por el restaurante y sembrando la destrucción con las cortinas de terciopelo rojo y cualquier otra cosa que se interpusiera en su camino.

—En realidad, voy a reunirme con mi marido —indicó con sequedad.

—Ah, sí; ¿su nombre, *madame*?

—Creo que su reserva la habrá hecho Chatsworth Blair.

—Me temo que no tenemos ninguna reserva bajo

ese nombre –explicó el maître después de consultar un libro tan grande como una Biblia familiar.

–Bueno, entonces a nombre de Joe Hartley –señaló Kate, que lo había seguido al interior oscuro.

–Tampoco el señor Hartley, *madame* –expuso con satisfacción al ver que no rompía nada–. Quizá se haya equivocado de restaurante.

–No me he equivocado de restaurante –repuso con voz gélida–. Ni de día ni de hora –se apresuró a añadir, anticipándose al otro–. Tal vez si pudiera echar un vistazo y comprobar si los puedo localizar –no se los veía en las mesas con mantel blanco que había en el centro de la sala, pero las laterales, ocultas por las cortinas, resultaban más difíciles de investigar.

El maître se envaró como si le hubiera sugerido organizar una cacería de cucarachas en la cocina.

–Qué sentido tendría, *madame*, cuando ya le he dicho que su marido, el señor Hartley, no está aquí?

–El nombre de mi marido no es Hartley –indicó Kate, ruborizándose un poco cuando el maître alzó la vista al techo–. Es Lassiter.

–Sí tenemos una reserva con ese nombre, *madame* –dijo con clara renuencia el maître tras una pausa–, pero era para dos personas, y su invitado ya ha llegado.

–Perfecto –aceptó Kate–. Por favor, condúzcame hasta ellos –durante un momento pensó que se iba a negar. Dio un paso decidido al frente y lo vio encogerse de hombros con gesto fatalista antes de llevarla a una mesa en el extremo del salón.

Su intención había sido decir «Sorpresa» o algo igualmente brillante y anodino para superar el primer momento incómodo de haber interrumpido su almuerzo.

Pero eso fue antes de ver que la persona que acompañaba a Ryan no era la silueta robusta de Joe Hartley, sino una deslumbrante pelirroja enfundada en un pequeño vestido negro que estaba inclinada hacia él, sonriendo y señalando algo en el menú.

«También tenía buenos dientes», notó Kate con pesar, ya que estaba a punto de hacérselos tragar. La sorprendió la ira ardiente que la dominó. Y también el dolor que sintió.

Ya no podía fingir que se trataba de un terrible error, ni siquiera un mal sueño. Ante ella tenía la prueba viviente.

–Kate –Ryan se levantó. Estaba absolutamente sereno. Con incredulidad ella se dio cuenta de que no mostraba ni una sola señal de culpabilidad–. Así que has decidido reunirte con nosotros, después de todo.

«Sonaba casi divertido», pensó Kate. Como si hubiera esperado que apareciera. ¿Había sido esa su intención en todo momento? ¿Le había dejado un sendero deliberado, queriendo que lo siguiera para la confrontación definitiva, porque pensaba que no era capaz de montar una escena en público? Bueno, estaba a punto de descubrir su error.

–Sí –respondió con voz un poco temblorosa–. Pero veo que estorbo.

–En absoluto. Le diré al camarero que traiga otra silla.

–Oh, no, cariño –sacudió la cabeza y soltó una risa frágil–. No soñaría con estropear una hermosa amistad. Además, debo buscar a alguien que cambie las cerraduras de casa, siempre suponiendo que pensaras ir a dormir allí esta noche –había alzado un poco la voz, y fue consciente de algunas miradas curiosas desde otras mesas y de la presencia cercana y aprensiva del maître.

–Todo lo contrario –dijo con los dientes apretados y cerrando la mano en torno a su muñeca–. Te sentarás antes de que Penny llegue a la conclusión de que estoy casado con una lunática declarada.

–¿Crees que me importa algo lo que piense... tu Penny? –con las mejillas encendidas, intentó soltarse–. Tengo entendido que también es escritora... aunque prefiere escribir cartas antes que novelas.

–Es su trabajo –soltó Ryan–. Y pienso que deberías prestarle atención a lo que opina. Es posible que la veas bastante durante el año que Joe va a pasar en Nueva York.

–¿De qué demonios estás hablando? –Kate intentó mantener el tono agresivo, pero sintió las piernas flojas y le alegró sentarse en la silla que había llevado el atento camarero.

–Soy Peny Barnes, señora Lassiter –la pelirroja, con cautela, alargó la mano con educación–. Durante la ausencia de Joe seré la editora de su marido en Chatsworth Blair.

–¿De verdad? –Kate hizo caso omiso del gesto

conciliador–. Supongo que ese fue el motivo por el que él me dijo que iba a comer con Joe.

–En realidad, no lo hice –indicó Ryan, volviendo a sentarse–. Fue idea tuya. Hace tres meses te conté que Joe iba a ser trasladado a la oficina de Nueva York por un año.

–No recuerdo nada semejante –lo miró fijamente.

–Es probable que no –la miró con frialdad–. Estabas mucho más interesada en un contrato que acababas de firmar para la boda de un tal Sloane Ranger. En ese momento me dio la impresión de que no habías escuchado ni una palabra de lo que te dije –vio cómo ella palidecía y le hizo una señal al camarero–. ¿Quiere traerle a mi esposa un poco de agua mineral, por favor? Y retenga nuestro pedido hasta que ella haya dispuesto de la posibilidad de mirar el menú.

–Yo... no tengo hambre –meneó la cabeza sin atreverse a mirar a Penny Barnes. Sentía la boca muy seca.

–Claro que sí –su tono no aceptaba discusión.

El papel que tenía ella en ese momento era quedarse sentada y comportarse. Y no había nada que pudiera hacer al respecto, después de quedar como la más grande idiota del siglo.

Con presteza el camarero le colocó una servilleta enorme y almidonada sobre el regazo, haciendo que la retirada fuera imposible. Observó los cubiertos que ponía ante ella y se preguntó si los cuchillos eran lo bastante afilados como para cortarse el cuello. Ryan pidió por ella.

–La señora tomará un *boudin noir* con manzana, seguido de un *fillet mignon* y una ensalada verde.

«Y una dosis alta de cianuro», pensó Kate.

El almuerzo prosiguió sin ninguna mención más sobre el desliz de Kate. Penny Barnes era abiertamente encantadora, inteligente y eficaz. Ryan y ella tocaron puntos del esbozo de la historia que él le había enviado a Joe y que quizá resultaran problemáticos, al tiempo que le explicaba cómo los iba a tratar.

En cualquier otro momento a Kate la conversación le habría resultado fascinante. Una ventana a un mundo que necesitaba entender. Un mundo del que solía formar parte, comprendió con sorpresa.

Pero tenía el estómago revuelto, y lo único que podía hacer era jugar con la comida no deseada y tratar de ocultarla bajo una hoja de lechuga.

Al hacer un esfuerzo, pudo recordar que Ryan había empezado a decirle algo de Joe, y que ella lo había interrumpido, extasiada con sus propias noticias, que deseaba compartir con él. Para impresionarlo con su propio éxito.

Sacó el borrador de su nueva novela del maletín y Penny lo recibió como si fueran las Sagradas Escrituras, prometiendo leerlo y hacerle llegar su opinión en las próximas dos semanas.

–Lamento haber hablado de trabajo todo el tiempo –dijo Penny al fin, mirándola desde el otro lado de la mesa.

–No lo sientas –Kate sacudió la cabeza–. La culpa

es mía por haber irrumpido de esta manera –añadió con vacilación, consciente de la mirada irónica de Ryan.

–Oh, no, creo que es bueno que una pareja pueda involucrarse en la carrera de un escritor, al menos en cierto nivel –dijo Penny con convicción–. Cuando está absorto en un libro, debes sentirte muy aislada.

–Kate no tiene tiempo de sentirse aislada –Ryan se adelantó y volvió a llenarle la copa antes de que pudiera responder–. Ha de preocuparse de su propia carrera.

–¿Oh? –Penny la observó con curiosidad–. ¿Qué haces?

–Soy socia de una empresa llamada Ocasiones Especiales –repuso Kate en voz baja–. Básicamente organizamos fiestas y celebraciones.

–Debe ser estupendo –Penny rió–. Hacer feliz a la gente. Verla en sus mejores momentos.

–No siempre es así –pensó en la boda cancelada. Miró su reloj–. Y ya es hora de que vuelva a la oficina –echó la silla atrás y se levantó–. Pero, por favor, no permitáis que estropee la reunión. Estoy segura de que tendréis muchas más cosas de las que hablar –les dedicó una sonrisa tensa y se marchó.

Su intención era llamar un taxi, pero aún sentía unas ligeras náuseas, de modo que primero decidió ir a los aseos.

En cualquier otro momento se habría maravillado por la descarada opulencia que exhibían, habría probado el confort del sofá de terciopelo y la última fragancia expuesta en frascos de cristal.

Pero lo único que deseaba era apoyar la cabeza contra los azulejos fríos de su cubículo y esperar que se le pasara el mareo y su estómago se asentara.

Pareció transcurrir una eternidad hasta que empezó a sentirse mejor. Salió del reservado, se acercó al lavabo y abrió el grifo de agua fría, salpicándose las muñecas y la cara.

–¿Te encuentras bien?

–Perfectamente –contestó sobresaltada al darse cuenta de que había entrado Penny Barnes–. Sólo disfrutaba de las instalaciones.

Penny rió, aunque no perdió la expresión preocupada.

–Estás muy pálida. ¿Quieres que llame a Ryan?

–Cielos, no –repuso Kate–. Lo prometo, estoy bien.

–Bueno, así lo espero. No me gustaría llevarme a Ryan al norte de Inglaterra si no te encuentras bien. Además, fue estupendo que se ofreciera en el último momento.

–¿Eso hizo? –mantuvo el tono casual, mientras se empolvaba las mejillas–. No lo mencionó.

–Sí –Penny suspiró–, es el invitado de honor en la convención de escritores de misterio en Yorkshire. Se suponía que iba a ser Louis Houghton, pero la semana pasada se cayó por unas escaleras en su villa del sur de Francia, rompiéndose la pierna. Según su esposa, intentaba emular a uno de sus héroes –añadió–. Y Ryan, bendito sea, aceptó llenar su hueco.

–Ah –musitó Kate–. Así es como sucedió.

–Es una pena que no puedas acompañarlo. Al parecer es un lugar precioso. Pero él comentó que no podrías escaparte.

–Han avisado con muy poco tiempo –acordó Kate con voz inexpresiva–. Bueno... adiós. Ha sido un placer conocerte –respiró hondo–. Lamento el malentendido... cuando llegué.

–Olvidémoslo todo –pidió Penny con mirada cálida.

Ryan hablaba con el maître y no notó su sigilosa salida. Tuvo suerte de parar justo en la puerta un taxi que pasaba; le indicó al conductor la dirección de la tienda de ropa para ir a recoger su traje y se hundió en el asiento.

«Penny Barnes había sido muy amable», pensó consternada. «Aunque Ryan era un escritor importante para Chatsworth Blair. Quizá pensó que debía aceptarla por eso».

Se preguntó si Penny haría algún comentario sobre lo sucedido cuando llegara a la oficina. Santo cielo, tendríais que haberla visto. Ryan debería incluirla en su siguiente novela. La esposa celosa.

Tembló. Ese día había recibido una lección que no olvidaría. Pero al verlos juntos había estado tan segura. Pensé que había sido lista al rastrearlos hasta el restaurante...

Pero nada había cambiado, se dijo con firmeza. Puede que Penny Barnes no fuera la otra mujer importante, pero alguien había. Tenía la prueba de la carta anónima y la conversación telefónica que había escuchado.

La pista que había seguido ese día era falsa, pero pronto descubriría la verdadera, y la búsqueda volvería a comenzar.

Cerró los ojos y sintió la angustia de las lágrimas contra los párpados.

Capítulo 6

KATE temía su regreso a casa aquella noche. Ryan estaría enfadado, y aunque ella sabía que sus sospechas eran perfectamente justificadas en esas circunstancias, no podía decírselo.

Porque él negaría cualquier acusación que le hiciera, o podría reconocerlo todo y dejarla. Ir al lado de la otra mujer. Y eso era lo último que quería que sucediera.

«Quiero recuperar mi matrimonio», pensó con fiereza. «No voy a dejar que se rompa por un desliz estúpido de Ryan. Siempre que sólo sea eso, por supuesto», corrigió con una mueca. «Por lo que sé, podría ser la gran pasión de su vida».

–¿Has tenido una comida grata? ¿Es un restaurante al que podemos recurrir? –preguntó Louie al entrar para recoger una carpeta.

–La comida era buena, pero no me pareció que tuviera un gran ambiente –repuso, conteniendo un escalofrío.

–Hablando de comida, y como ninguna de las dos va a trabajar el sábado, me preguntaba si a Ryan y a ti os gustaría venir a cenar. Es... es un banquete de despedida para Neil.

–¿Despedida? –Neil había sido una presencia constante en la vida de Louie durante los últimos tres meses.

–Ha aceptado un contrato de dos años en Arabia Saudí. Es comprensible. Prefiere trabajar al aire libre que con un bolígrafo en la oficina.

–Pero, ¿a ti no te... importa? –Kate se mordió el labio.

–Ojalá me importara –respondió con sinceridad–. No fue hasta que me dijo que se iba que me di cuenta lo poco unidos que estábamos.

–¿Estás segura?

–Absolutamente –asintió–. Neil aún seguía obsesionado con su antigua novia.

–Oh, Lou, lo siento.

–No tienes por qué –sonó tensa–. Yo fui igual de fría... ya que seguía pensando en alguien a quien tampoco podía tener. Ambos nos usamos como pantalla de humo para ocultar lo que realmente deseábamos.

–No lo sabía –la miró.

–No era algo de lo que quisiera hablar –indicó con ironía–. Pero me he dado cuenta de que la vida es demasiado corta para esperar hasta que alguien decida si su matrimonio va a funcionar o no. No quiero conformarme con eso.

–Claro que no –Kate hizo una mueca–. Y estoy segura de que el sábado será perfecto. Lo consultaré con Ryan, y te llamaré esta noche para confirmarlo –«siempre y cuando Ryan vuelva a hablarme».

Al entrar en el piso lo encontró sentado de cara

a las ventanas abiertas; leía, con una copa de vino sobre una mesita a su lado.

Desde la cocina llegaba un tentador aroma a tomate, ajo y especias, y a pesar de sus nervios y del estómago revuelto, apreció el olor.

–Huele bien –comentó con normalidad... al menos hasta que volviera a estallar la tormenta.

–He hecho unas albóndigas para acompañar la pasta –su tono sonó sosegado, incluso amigable. Su rostro no reveló nada.

Aunque jamás lo hacía. Kate recordó el comentario de un antiguo compañero suyo de la bolsa al hablar sobre la cara de póquer de Ryan. «Es lo que hace que sea tan buen jugador». Pero en esa ocasión jugaba con su matrimonio... con su futuro juntos.

–Pensé que te vendría bien algo de alimento sólido –añadió él–. No comiste mucho en el almuerzo.

–No es de extrañar, ¿verdad? –dijo ella tensa. Dejó la bolsa y el maletín y se situó justo frente a él–. Ryan... es evidente que tienes algo que decir. ¿Por qué no acabamos de una vez? Soy mayorcita, puedo encajarlo.

–Me gustó el vestido –indicó tras una pausa.

–A mí también. Espero que su próxima dueña esté igual de complacida. Lo di a una tienda de caridad.

–Un poco drástica, ¿no?

–Jamás me lo hubiera vuelto a poner. No quiero un recordatorio de una de mis peores horas.

–Supongo que no –otra pausa–. Por una cuestión de interés, ¿por qué llegaste con todas tus armas desenfundadas?

–Es... esperaba encontrarte con Joe. Verte con... Penny me desconcertó.

–Por lo general no reaccionas de esa manera –tenía los ojos fríos y atentos–. Fue... espectacular.

–No te rías de mí –espetó–. No te atrevas a reírte, maldita sea.

–No te engañes, querida –replicó. Se puso de pie con movimiento ágil y se plantó con las manos en las caderas–. Disto mucho de considerarlo divertido, te lo prometo –el cambio fue tan súbito que la dejó atontada, y retrocedió un paso. Al ver la reacción, él bajó las manos a los lados y añadió–: ¿Hay algo que pueda decir que tú no te hayas dicho ya?

–No... no lo creo –Kate se mordió el labio–. Y de verdad lo siento. Espero no haber estropeado nada.

–Supongo que mis cifras de ventas pueden absorber las ondas de choque. Ahora siéntate, relájate y toma una copa de vino. La cena estará en unos veinte minutos –ella aceptó la copa que le ofreció y se sentó en el sofá de enfrente, alisándose la falda sobre las rodillas–. Una cosa me intriga –musitó Ryan, llenándose su propia copa–. ¿Cómo supiste dónde encontrarnos?

–Elemental, mi querido Watson –contestó con una ligereza que distaba mucho de sentir–. ¿Recuerdas aquel festival de cine de Hitchcock al que asistimos, esa escena en la que Cary Grant quería seguir a Eva Marie Saint *en Con la Muerte en los Talones*?

–Sí –repuso Ryan despacio–. Vaya, vaya –alzó

la copa en su dirección en un brindis fingido–. Si alguna vez Ocasiones Especiales empieza a ir mal, siempre te puedes dedicar a la investigación privada.

–No creo que fuera buena. Soy demasiado propensa a sacar las conclusiones equivocadas.

–Pero, ¿por qué tomarte tantas molestias? Aunque hubiera estado con Joe en vez de Penny, seguía siendo una comida de trabajo. Por lo general no asistes.

Ese era el momento de contarle lo de la carta anónima; de hablarle de todas las dudas y miedos que sentía desde entonces. Contarle el miedo que le provocaba pensar que su matrimonio podía romperse, que la distancia entre ellos se agrandaba cada día y que de seguir así ya no podrían salvar.

–Pero a mí me interesa tu trabajo –repuso a cambio–. Siempre me ha interesado. Leí tu primer libro mientras lo escribías, ¿recuerdas?

–Sí –esbozó una lenta sonrisa–. Lo recuerdo. Pero desde entonces no has vuelto a leer ninguno. Al menos no en manuscrito.

–Bueno... no ha hecho falta. Después de todo, fuiste un *bestseller* instantáneo. Y tenías a Quentin... y a Joe para hablar de tu trabajo. Personas que sabían de lo que opinaban.

–Pero no estaban a la altura de tu percepción, Katie.

–Y estaba mi carrera –se apresuró a explicar–. Y luego nos mudamos aquí –rió con tono nervioso–. Todo... cambió.

–Supongo que sí –tras un silencio, dejó la copa en la mesita–. Iré a comprobar la cena.

–¿Buena? –preguntó Ryan con un leve destello de humor en sus ojos cuando Kate dejó los cubiertos en el plato.

–Mejor. Ha sido una cena espléndida, Ryan. Gracias.

–Ha sido un placer. Me temo que de postre sólo hay fruta –empujó una fuente con nectarinas, albaricoques y uvas hacia ella.

–No sé si podré –eligió una nectarina y comenzó a cortarla en cuartos, luego hizo una pausa–. Casi lo olvidaba. Louie nos ha invitado a cenar el sábado. Parece que Neil se va a trabajar al extranjero y es una fiesta de despedida.

–¿Cómo se lo ha tomado? –preguntó Ryan, echándose atrás en la silla–. ¿Era el hombre de sus sueños?

–Al parecer no –Kate se mordió el labio–. Creo que todo este tiempo ha estado enamorada de un hombre casado... y jamás lo adiviné –sacudió la cabeza. Ni me lo creo. Pensé que la conocía mejor que nadie.

–¿Cuánto conocemos de los demás? –su voz sonó con un deje extraño–. ¿Te dijo quién era?

–No. Sigue siendo un secreto. Me da la impresión de que la ha estado engañando, haciéndole creer que iba a dejar a su esposa –suspiró–. Pobre Louie.

–Bueno, quizá la deje –Ryan acercó la fuente con la fruta y eligió un racimo de uvas–. Quizá está esperando el momento adecuado... si es que eso existe.

–¿Hablas en serio? –lo miró fijamente–. ¿Crees que debería romper su matrimonio?

–Suena como si ya lo hubiera hecho –se encogió de hombros–. Tener una aventura es una especie de abandono.

–Sí... pero si fuera algo pasajero el matrimonio quizá pudiera sobrevivir.

–Me pregunto si es posible –reflexionó.

–Estoy convencida de que sí –afirmó Kate con pasión–. Con buena voluntad por ambas partes.

–Vaya, cariño, ¿estás defendiendo a ese marido errante? –enarcó las cejas en gesto burlón.

–En absoluto. Estoy de parte de la esposa.

–¿Sin conocer las circunstancias? –provocó él–. Ella puede tener igual culpa si la relación no funciona.

–O tal vez viva en un paraíso ignorante, sin tener idea de lo que está pasando.

–Pensé que tus simpatías estaban del lado de Louie –indicó.

–Bueno, así es –se apresuró a responder–. Sólo me gustaría que pudiera conocer al hombre adecuado y... asentarse.

–¿Estás segura de que es eso lo que deseas? –su tono fue desapasionado.

–¿A qué te refieres? –dejó la nectarina cortada y se secó las manos con la servilleta.

–Pensaba en tu comentario anterior... que todo cambia –se encogió de hombros–. Quizá las consecuencias no te resultaran del todo placenteras.

–Tonterías –aseveró Katie–. Quiero que Louie sea feliz, eso es todo. ¿Qué daño hay en ello?

–Ninguno –seleccionó otro racimo de uvas con expresión enigmática–. De todos modos, iremos el sábado y despediremos a Neil al limbo del olvido. No perdamos más tiempo en el tema.

–Tengo entendido que no hay mucho que perder... antes de que te vayas a Yorkshire.

–La chica detective vuelve al ataque. Pensaba decírtelo esta noche.

–Decírmelo –repitió despacio–. No... preguntármelo. Preguntarme si me importaba.

–Llevas una vida tan ajetreada, cariño –se encogió de hombros–. Ni siquiera pensé que notaras mi ausencia. Además, un breve tiempo separados podría resultar terapéutico. Nos dará un poco de espacio... tiempo para pensar.

–¿Es lo que quieres? –Kate sintió como si la hubiera tocado con una mano helada.

–Creo que es lo que ambos necesitamos –su rostro era inescrutable.

–¿Por eso me preparaste la cena? –inquirió con forzada ligereza–. Para que el golpe no fuera tan duro –¿por qué quieres espacio?, gritó en silencio. Si ya estamos separados por miles de kilómetros ¿Y qué necesitas pensar en ese tiempo?

–Quizá me preocupaba tu repentina falta de apetito –replicó.

–Resaca del almuerzo. Es difícil comer con el pie de alguien en la boca –calló–. Ryan... no le dirás nada a Louie, ¿verdad? Me refiero a su amante. Creo que no era su intención contármelo.

–No diré una palabra. No te muevas, traeré un poco de café.

–Qué servicio –le regaló una sonrisa–. Tal vez deberías irte más a menudo.

–Tal vez lo haga –indicó con sonrisa oblicua.

¿Acababa de hacerle una advertencia?, se preguntó. ¿Le decía que su matrimonio también estaba prácticamente acabado? ¿Qué tenía a una amante secreta en su vida? ¿Un amor ante el que ya no podía resistirse?

Respiró hondo. Sin importar lo que hubiera querido decir, parecía que durante el futuro inmediato pretendía que la vida continuara como de costumbre.

«Y eso es lo que debo hacer yo», reflexionó. «Tomarme la cosas según vengan, aunque parezca imposible». Se levantó y se acercó al teléfono.

–¿Louie? Nos encantará ir a cenar el sábado.

Kate se cepilló el pelo. Había cuidado mucho su aspecto para la cena de esa noche. Como tenía un día libre, fue a un salón de belleza para que le arreglaran todo el cuerpo, incluyendo un masaje con aceites aromáticos.

«Era lo ideal para el estrés», pensó. Esa era la causa de los distintos ataques de náusea que la asolaron durante la semana. Ya no podía permitírselos más. Necesitaba estar en excelente estado de forma, física y mental, si quería convencer a Ryan de que su matrimonio aún merecía la pena ser salvado.

Después del incidente con Penny Barnes, había

deteniéndose en el contorno de sus pechos, en las líneas sutiles de los muslos bajo el ceñido crepe. Luego miró el reloj–. Y el taxi que llamé ya debe estar abajo.

–Siempre podemos despedirlo –sintió que el pulso se le aceleraba en la garganta al tratar de recuperar su atención, encender el deseo que había percibido en el súbito calor de su mirada.

–Así es –coincidió–. Pero no sería muy educado con Louie, que nos espera y que en este momento parece necesitar toda la consideración que podamos darle.

–Tienes razón, por supuesto –repuso con voz frágil después de haberse tragado el orgullo–. Mejor que nos vayamos. No queremos llegar tarde.

Recogió la chaqueta y el bolso y con la cabeza erguida se dirigió hacia la puerta, tratando de no escuchar la voz que en su interior le decía que quizá ya fuera tarde para los dos.

Capítulo 7

PROBABLEMENTE no era la peor cena a la que había asistido», reflexionó Kate después. «Pero le andaba cerca».

Louie los había recibido de forma extravagante, sus generosas curvas enfundadas en un tubo color rojo y con la sonrisa clavada en el rostro. Quizá de pronto se había dado cuenta de que iba a echar de menos a Neil.

Como siempre, la comida había sido deliciosa. Kate se había obligado a degustarla y alabarla, como si nada más le importara en el mundo.

Observó a Ryan disimuladamente, tratando de ver más allá de su máscara, aunque sin conseguirlo. No había ofrecido ni una palabra que no le hubiera sido solicitada durante la cena. Quizá su silencio indicaba que también él comprendía que habían llegado a una especie de punto muerto en su relación, pensó Kate con agonía.

Y, de algún modo, en todo momento ella charló y rió, preguntándole a Neil por su nuevo trabajo, bromeando con las estrictas leyes saudíes sobre el alcohol. Sería afortunada si al día siguiente no padecía una afonía.

Pero a pesar de todos sus esfuerzos, la atmósfera alrededor de la mesa había mostrado todos los síntomas de un funeral.

También Neil había estado más silencioso que de costumbre. Incluso el entusiasmo que mostró ante la nueva aventura había parecido falso. Pero había reconocido que era un paso a lo desconocido.

–Y ante eso debes sopesar el valor de lo que dejas atrás –añadió–. Y me he dado cuenta que es incomparable.

Reinó un silencio incómodo, que rompió Louie al recoger los platos. Casi fue un alivio cuando después del café él se excusó diciendo que aún tenía que hacer las maletas.

–No ha sido una de mis mejores ideas –dijo Louie cuando Kate la ayudaba a llenar el lavavajillas.

–¿Estás segura de que quieres que se vaya? –preguntó Kate con cuidado.

–Tengo sentimientos encontrados –suspiró su amiga–. Hace meses me di cuenta de que Neil era como uno de esos vestidos que no quitas del fondo del armario porque te podría quedar bien si adelgazaras y te cambiaras el color del pelo.

–Él parece lamentarlo.

–Creo que firmó el contrato como un gran gesto hacia Helen, su ex –Louie hizo una mueca–. Con la esperanza de que la amenaza de su marcha conseguiría que ella volviera corriendo con lágrimas de arrepentimiento. El problema es que ella ha seguido adelante, como debe ser. Él es un buen chico, y para alguna mujer será un marido estupendo.

–Pero no para ti.

–Nunca en este mundo –sacudió la cabeza.

–¿Aún piensas en el otro hombre? –preguntó con suavidad.

Louie asintió con brusquedad, sin apartar los ojos del suelo.

–No dejo de preguntarme si debí esforzarme más, hacer que eligiera. Entonces al menos habría sabido...

–¿Es demasiado tarde para averiguarlo?

–No lo sé –Louie mantuvo la vista apartada–. Quizá me asusta sacudir la balsa. Enfrentarme a las consecuencias.

–Pero si su matrimonio no funciona... si no es feliz, seguro que su mujer no querrá mantenerlo atado a ella.

–¿De verdad? –hizo una mueca–. ¿Y quién puede decir que ella ha notado que algo va mal? Quizá haya considerado que cualquier grieta en su matrimonio se debe al desgaste normal. Y quizá siempre es así.

–¿Hay niños de por medio? –preguntó Kate tras un titubeo.

–No. Creo que ese podría ser un factor importante del problema. Él quería una familia. Ella ha preferido su carrera profesional.

–Claro está que desconoces la versión de ella de la historia –Kate se mordió el labio.

–Como no he parado de repetirme. Aunque de poca ayuda sirve.

–¿Y qué vas a hacer?

–Ahora mismo voy a retirar el resto de la mesa, mientras tú nos preparas un poco más de café.

–Y es evidente que vas a pensar en ello –apoyó una mano en el hombro rígido de Louie.

–Sí –dijo en voz baja–. Creo que tengo que hacerlo... sea cual sea el precio –alzó unos ojos pesarosos y miró a Kate–. ¿Crees que me equivoco?

–No me considero capacitada para hacer un juicio moral sobre el asunto –repuso con gentileza–. No... no sé qué haría en tu lugar. Pero, sin importar lo que decidas, yo estaré de tu lado.

Louie le dedicó una sonrisa tensa y salió de la cocina.

Sola, Kate llenó la cafetera y la encendió. Se sentía con el ánimo bajo mientras lavaba las tazas que habían usado y luego las depositaba en una bandeja. Le preocupaba no haber sido consciente del problema de Louie ni haber percibido el sufrimiento de su amiga.

«Dios, me he vuelto egocéntrica», se castigó.

Y no podía presentar la excusa de que tenía problemas personales, porque era evidente que esa relación había empezado mucho antes de que su vida comenzara a hacerse pedazos.

Abrió la nevera y estudió el escaso contenido. Louie era una cocinera impulsiva, que compraba ingredientes frescos y los usaba al instante. Había unos pocos huevos, unos yogures, leche y el resto del cartón de nata que había utilizado para el café. Y, por supuesto, tres botellas de champán. «Lo único que nunca le falta», pensó Kate con afecto al sacar la nata.

Rellenó la jarra y llevó la bandeja al salón. Mientras empujaba la puerta con el hombro, vio a Louie y a Ryan de pie junto a la ventana, próximos, pero sin rozarse.

Él le hablaba en voz baja y apremiante mientras ella lo miraba, con el rostro abierto y vulnerable, de un modo que Kate nunca le había visto.

Ambos se hallaban demasiado absortos y no notaron su quieta presencia en el umbral.

Quiso decirles, «Hola, ¿me recordáis?» Algo alegre y normal que cortara la tensión que llenaba la estancia, y que devolviera la atención de su marido y su amiga a ella. Pero no pudo pronunciar ninguna palabra.

Se obligó a avanzar y a depositar la bandeja en la mesa, y el ruido hizo que Ryan girara bruscamente la cabeza.

—Café recién hecho —anunció con deliberada alegría—. Venid a tomar una taza.

—Has sido rápida —Louie sonrió, pero tenía las mejillas encendidas en clara señal de inquietud interior.

Se sentaron alrededor de la mesa, como habían hecho otras tantas veces, a hablar de la velada que acababa de pasar, pero de algún modo en esa ocasión fue diferente. Las esporádicas risas sonaron huecas y hubo demasiados silencios.

Lo único que no se alteró fue la tensión. En un momento Kate se lanzó a una charla animada sobre el torrente de pedidos que habían tenido últimamente, junto con los caprichos y algunas exigencias poco realistas de sus clientes.

—Y lo fantástico es que muchos de ellos vienen recomendados por otros —añadió—. Nuestra fama debe estar extendiéndose. A este ritmo no tardaremos en tener todo ocupado hasta el milenio.

–Felicidades –Ryan echó un poco de nata en el café–. Has alcanzado el objetivo de los Noventa. Ya eres una mujer totalmente independiente.

–Haces... que suene como una sentencia.

–No estoy segura de que no lo sea –intervino Louie de forma inesperada.

–Seguro que bromeas –Kate intentó reír sin conseguirlo–. Tenemos éxito. Cada vez estamos más asentadas.

–¿Para alcanzar qué?

–Bueno... –Kate titubeó– nuestro sitio en el mercado. Seguridad financiera.

–¿Oh, de verdad? –Louie sonó amargada–. Espero que consideremos que vale la pena –captó la mirada incrédula de Kate y se encogió de hombros a la defensiva–. Lo siento, cariño. Eso no se aplica a ti. Tú tienes una alternativa.

–¿Sí?

–Creo que se refiere a mí –dijo en voz baja Ryan–. A nuestro matrimonio.

–Oh –Kate de pronto se sintió tonta–. Oh, sí, claro.

–Desde luego –coincidió Ryan con tono burlón–. Y con eso, querida, creo que debemos regresar al hogar marital y dejar que Louie descanse un poco.

–¿Louie y tú tuvisteis una pelea? –preguntó desde una esquina del taxi.

–¿Qué te hace pensar eso? –la figura oscura en el otro rincón estaba muy quieta.

–La situación parecía... incómoda en su casa.

–Quizá era ese tipo de veladas.

–¿Vas a contármelo?

–Creo que ya lo sabes –repuso él con tono seco.

–¿Te refieres a que te hablaba del otro hombre? –no pudo evitar la sorpresa en su voz–. ¿De lo que piensa hacer?

–Eso surgió.

–Pero, ¿por qué te hablaría a ti del asunto?

–¿Por qué no? Después de todo, tú lo hiciste.

–Eso es distinto. Eres mi marido. Te cuento todo.

–¿De verdad, cariño? Qué halagador.

–Y no bromeo. Esto no es gracioso.

–Nunca pensé que lo fuera –dijo con súbita aspereza–. Tengo entendido que le has estado aconsejando que siguiera el deseo de su corazón, y al demonio las consecuencias.

–No exactamente.

–Me alivia oírlo.

–Eso me gusta. Fuiste tú quien comentó que si él había sido infiel, el matrimonio ya hacía aguas.

–Pero no necesariamente defiendo que Louie le dé el empujón definitivo –respondió con cierta crispación–. No tendrías que haber interferido, Kate.

–¿Y cómo describes tu propia intervención? –demandó con amargura–. ¿Un consejo fraternal?

–No está muy lejos de eso –corroboró con sequedad–. Le dije que tuviera cuidado y que se cerciorara de que era lo que de verdad quería. Porque las consecuencias podían ser catastróficas.

–Tienes una sabiduría superior a tus años.

–¿Qué te hace pensar que no es así? –calló–. No importa. Quien necesita sabiduría es Louie.

–Hará lo correcto –afirmó Kate confiada.

–Espero que pienses lo mismo en el futuro –dijo, y guardó silencio.

Al llegar, subieron en el ascensor sin decir una palabra, pero mientras Kate entraba primero en el piso, dijo:

–Ryan... no... no quiero que discutamos.

–No siempre podemos coincidir, Katie –indicó con voz amable.

–Pero últimamente siempre parecemos enfrentados –dejó la chaqueta en el sofá y se volvió para mirarlo–. Debes notarlo.

–Creo que unos cuantos días separados pueden sernos saludables –dejó su chaqueta y se aflojó la corbata.

–Unos cuantos días –repitió con amargura–. Ya llevamos distanciados semanas. ¿O no te has dado cuenta?

–Sí, me he dado cuenta –contestó en voz baja.

–Pero no haces nada al respecto –dio un paso hacia él–. Hubo una época en que me habrías pedido que te acompañara a Yorkshire.

–Pensé que estabas agobiada de trabajo. Ese es el mensaje que recibí esta noche –la miró con serenidad–. Y tú jamás me has invitado a acompañarte uno de tus fines de semana.

–Eso es distinto –protestó ella–. Yo siempre asisto en calidad oficial.

–Mientras que yo, desde luego, viajo al norte por cuestiones de salud –indicó con ironía.

–No me refería a eso –explicó cansada–. Sé que eres el invitado de honor... –intentó sonreír–. Debería calentarme en el reflejo de tu gloria.

–Ahora no, Kate –meneó la cabeza.

–Ya no me deseas, ¿verdad? –preguntó con la barbilla alzada en desafío.

–¿Eso es lo que piensas? No podrías estar más equivocada –se acercó a ella en dos zancadas y con manos fuertes y ansiosas la atrajo hacia sí–. De acuerdo, te he estado observando –musitó–. Pensando en ti y en lo que haría en cuanto estuviéramos solos.

La besó con ardor y exigencia, separándole los labios con la familiaridad de la posesión, echándola hacia atrás sobre su brazo para que su boca pudiera acariciarle la larga línea del cuello, mientras con una mano buscaba abrirle la cremallera que sujetaba el vestido.

Cuando éste se abrió, Ryan la contempló con aliento entrecortado al ver la seda negra que la cubría, la enagua que apenas sostenía sus pechos, las medias altas que casi no ocultaban su sexo.

–Dios –soltó la palabra con un deje de angustia–. ¿Sabes... tienes la más remota idea de lo hermosa que eres? ¿De lo absolutamente deseable que eres?

Le asió las caderas y la pegó a su cuerpo, contra la fuerza y dureza de su erección justo cuando el vestido caía al suelo. Retorció la mano en su pelo y volvió a acercar su boca. Le mordisqueó el labio y buscó su lengua.

Kate quedó aturdida... en precario equilibrio, tanto emocional como físicamente, mientras respondía a sus besos. Después de los días y las noches de práctico distanciamiento, ese súbito ataque a sus sentidos resultaba demasiado poderoso. Se sintió abrumada, arrastrada en una marea incontrolable de emociones, con todo el cuerpo en tumulto.

Contuvo el aliento cuando Ryan apartó la breve enagua en pos de la expuesta tentación de sus pechos, moldeando con las manos la delicada carne y haciendo que sus pezones se endurecieran con un doloroso deleite bajo el juego de sus dedos.

La boca de Ryan se situó bajo su oreja, en la curva de su hombro. Kate echó la cabeza atrás y la apoyó en el brazo de él cuando comenzó a acariciarle los pechos con los labios, siendo su lengua una llama sutil que incitaba las cumbres enhiestas de sus pezones a nuevas alturas de éxtasis.

Deslizó la mano por su estómago para encontrar la húmeda seda que cubría el dulce núcleo fundido de su ser y hurgar con dedo explorador el pleno calor abrasador de la excitación de ella.

Kate sintió que el cuerpo le temblaba en respuesta primitiva. Se abrió ciegamente al exquisito placer de sus caricias, embistiendo jadeante su mano.

Al mismo tiempo lo desnudó con sus propias manos. En el intento le arrancó un botón de la camisa. Se mostró torpe con la cremallera de sus pantalones, pero al fin lo consiguió, y cerró los dedos en torno a él, acariciándolo, cada movimiento una insistencia desesperada para la realización última que tanto anhelaba.

Cuando él empezó a bajarla sobre la alfombra, Kate se hundió bajo su cuerpo, inerte, la mente en blanco. Ajena a todo menos a las sensaciones que Ryan le provocaba y a su propia y delirante respuesta.

Le quitó las últimas prendas de seda negra y la dejó desnuda salvo por las medias, que formaban un contraste erótico contra su blanca piel. Y ella lo ayudó a desprenderse de su propia ropa, ansiosa por sentir su piel contra la suya.

Su fragancia masculina le llenó la nariz y la boca. Era tan familiar y, al mismo tiempo, tan misteriosa, tan infinitamente seductora.

Kate apoyó la boca en su hombro, saboreando su piel. Le acarició la espalda y gozó con la fuerza de sus huesos y músculos. Pasó los dedos sobre los duros glúteos y los largos flancos.

Ryan le besaba el cuerpo, dejando un perezoso sendero entre sus pechos, bajando hasta el hueco de su ombligo. Haciendo que su cuerpo se arqueara en voluptuoso placer a medida que su lengua la provocaba y despertaba.

–Ryan –dijo con voz contenida al apartarle la cabeza. Estaba tan cerca, y lo quería dentro de ella en su habitual juego de amor... uniéndose en el camino hacia el placer mutuo.

–Espera –le sonrió y volvió a bajar la cabeza. Ella sintió el calor de su aliento sobre la piel delicada del interior de su muslo–. Entrégate –pidió con voz baja y ronca–. Experimenta el placer para mí.

Quiso protestar, pero ya era demasiado tarde. Todas las cosas perversas y hermosas que él le ha-

cía se unían en una sola espiral extática de sentimiento. Lanzó un grito de puro abandono cuando
todo su ser tembló al ritmo de la profunda pulsación de su clímax.

Cuando el mundo se estabilizó, tenía lágrimas
en el rostro, y Ryan se las secó con la manga de su
camisa desgarrada. Kate trató de decir algo, pero él
apoyó un dedo en su boca.

Empezó a besarla otra vez, con mucha suavidad, rozándole la frente, los párpados, los pómulos
y los labios, al tiempo que le acariciaba el cuello,
los pechos, la curva del codo y la parte posterior de
la rodilla.

En lo hondo de su cuerpo Kate experimentó el
despertar de la excitación renovada.

–¿Vamos a la cama? –susurró.

–Luego.

–Es... es demasiado pronto para mí.

–No lo será.

Las caricias de Ryan se tornaron más sensuales,
más osadas. Pero cuando ella trató de seguir sus
pautas, darle placer con las manos y la boca, él sacudió la cabeza, le capturó las muñecas y las sos-
tuvo por encima de su cabeza.

Durante un momento, sobresaltada, ella pensó
en resistirse, pero en cuando la tentadora, deliciosa
y prolongada exploración a que la sometía continuó, sin aliento comprendió que era mucho más
fácil y gozoso dejar que hiciera lo que quisiera. Incluso empezaba a resultar... necesario...

Y, sorprendida, se dio cuenta de que en absoluto
era demasiado pronto.

Todo su cuerpo pareció suspirar de placer cuando entró en ella. Se movió en su interior con suavidad y fluidez, arrastrándola a su ritmo, incrementándolo poco a poco, cada vez más y más hondo.

Bañada en sudor, Kate le rodeó los hombros, cerró las piernas alrededor de su cintura y lo mantuvo dentro de ella, avanzando ambos hacia un apasionado punto sin retorno.

Sus bocas se mostraron ansiosas, casi fieras, en sus exigencias. No se daba ni se pedía cuartel.

En esa ocasión, fragmentado su control, los espasmos que convulsionaron el cuerpo de Kate dieron la impresión de que iban a desgarrarla. Oyó el grito de Ryan y la voz que se le quebraba al pronunciar su nombre.

Durante largo rato yacieron en los brazos del otro sin hablar; ella tenía apoyada la cabeza en su pecho, él los labios sobre su pelo.

—¿Tienes frío?

Sólo había experimentado un leve temblor, pero él lo notó.

—Un poco —se sentó, sintiéndose tímida—. Y me siento tonta desnuda con estas medias. Como si fuera la chica de las páginas centrales de alguna revista para hombres.

—Estás maravillosa —sonrió—. Eres mi fantasía privada.

—Nunca habíamos hecho esto. Me refiero a hacer el amor aquí abajo —recogió el vestido e introdujo los brazos en sus mangas.

—Pues tendríamos que haberlo hecho —hizo a un lado la falda para depositar un último y rápido beso justo encima de las medias–. Al fin esta maldita alfombra ha justificado su existencia –con movimiento ágil se incorporó, totalmente ajeno a su propia desnudez, y la levantó–. ¿Puedes subir sola o quieres que te lleve?

–¿Te quedan fuerzas? –Kate fingió sorpresa.

–Pruébame –exhibió una sonrisa depredadora.

–Pensé que acababa de hacerlo.

–La noche aún es joven.

–Es un alarde que quizá te obligue a cumplir.

–Y el placer definitivamente *no* será sólo mío.

Le rodeó la cintura con el brazo y juntos fueron al dormitorio. El cuerpo de Kate resplandecía de satisfacción, pero, lo que era más importante, en lo más hondo de su ser florecía algo que podía ser esperanza... o incluso felicidad.

«Ahora todo irá bien», pensó con renovada confianza. Tenía que ser así...

Capítulo 8

KATE despertó poco a poco, estirándose como un gato mientras somnolienta absorbía la sensación de total bienestar que la invadía.

Con los ojos cerrados ante la luz que penetraba en la habitación, dejó que su mente vagara de vuelta a lo sucedido la noche anterior, sonriendo con alegres reminiscencias.

Hacer el amor con Ryan siempre había sido bueno, pero últimamente quizá se había vuelto demasiado doméstico. Aunque lo de la noche anterior había cambiado todo... había abierto una nueva dimensión.

Podrían haber sido desconocidos que se encontraban por primera vez, buscando los secretos más íntimos del otro con inusitada ansia, utilizando el placer mutuo para elevarse a cumbres insospechadas.

En ocasiones, su capacidad para incitar al igual que responder le había asustado. Ryan había mostrado un salvajismo próximo a la oscuridad, y alguna faceta escondida y desconocida en ella había salido a su encuentro.

Estiró la mano para tocarlo, pero...

Abrió los ojos y se sentó con la mirada clavada en el espacio vacío junto a ella.

Pero Ryan no estaba. Y su decepción resultaba casi absurda.

Si no estaba... ¿a dónde había ido?

Durante un momento se quedó muy quieta, tratando de escuchar... incapaz de detectar la tranquilizadora ducha. Miró inquieta la almohada ahuecada de Ryan y se preguntó si podría haber imaginado toda esa experiencia gloriosa y sensual.

Luego oyó inconfundibles sonidos de movimientos en la planta baja y se relajó.

Claro, se preparaba para su viaje. Después de todo, lo había oído hablar con el organizador, acordando que estaría en Yorkshire al mediodía.

Y también ella tendría que moverse a la velocidad de la luz si pensaba acompañarlo. Tenía pendientes unas vacaciones, y Louie podría mantener el fuerte unos días. Quizá así no recordara sus problemas.

«Sea como fuere, no volveré a perder a Ryan de vista», pensó con decisión. «Nunca más».

Se puso una bata y bajó las escaleras. Se detuvo, mirando a su alrededor, sintiéndose extrañamente tímida. Quiso que Ryan la abrazara y le enseñara con el contacto de su boca que la noche anterior no había sido un sueño, sino un dorada realidad.

En medio del salón tenía preparada su maleta de piel. La puerta de su despacho se veía entreabierta.

Kate avanzó en silencio y se asomó. Ryan se hallaba ante su escritorio y guardaba unas carpetas en el maletín. Cuando la puerta crujió, alzó la vista con las cejas enarcadas.

–¿Te he despertado? Lo siento. Quería dejarte

dormir –dijo con voz casi impersonal. No era el re-
cibimiento que ella había esperado.

–Bueno, mis planes eran diferentes –miró su reloj–. ¿Cuánto tiempo puedes darme para avisarle a
Louie y guardar algunas cosas en una maleta?

–¿Para qué quieres hacer eso? –preguntó tras
una pausa y cerrar el maletín.

–Porque he decidido ir contigo... a la convención –rió y se echó el pelo hacia atrás–. No sé si
Yorkshire habría sido mi elección ideal para una
segunda luna de miel, pero aprovecharé al máximo
lo que pueda ofrecer –estudió su rostro en busca de
alguna señal de satisfacción por su parte–. ¿Algo
va mal? ¿No te complace que quiera estar contigo?

–Me encanta –repuso con tono seco–. Por des-
gracia, no va a ser posible –esbozó un amago de
sonrisa–. En otra ocasión, tal vez.

–Si no te conociera mejor, diría que me dejas a
un lado –expresó despacio.

–En absoluto. Los dos tenemos nuestras respectivas carreras. A veces siguen direcciones diferentes –se encogió de hombros–. Esta es una de esas
veces, eso es todo.

–Parece que te lo tomas con mucha calma.

–No es demasiado importante –guardó el ordenador portátil en la funda–. Tú ya has dejado claro lo
ocupada que estás en tu trabajo. ¿Puedes permitirte
dejar desatendida la mina de oro? De todos modos,
te aburrirías mortalmente –añadió–. Aparte de las
conferencias y seminarios, me han pedido que dirija
un par de talleres para aspirantes a escritores. Los
dos sabemos que no te entusiasman demasiado.

–¿Sigue interponiéndose entre nosotros? –Kate respiró hondo–. Me refiero al hecho de que no quisiera que dejaras tu trabajo en la bolsa.

–Habría apreciado un poco más de fe.

–Pero creía en ti –protestó ella–. Creía en tu literatura.

–Pero no en mi habilidad para tener éxito –sonó irónico–. Habrías preferido que fuera una afición, alejada de mi trabajo cotidiano. Algo que me mantuviera en casa por las noches.

–Estaba asustada –hizo una mueca a la defensiva–. Nunca indiqué lo contrario –se apresuró a decir–. Parecía un riesgo tan alto.

–Yo los tomaba todos los días en la oficina –aseveró con voz áspera–. Riesgos desesperados. Con esa cantidad de dinero ni siquiera te puedes permitir el lujo de pensar en ello. Pero como no lo sabías no te preocupaban.

–¿Y es por eso... por lo que no quieres que vaya contigo a Yorkshire? –preguntó con incredulidad.

–No. Pensé que habíamos acordado que ambos necesitábamos un poco de espacio.

–En ese caso, puedo preguntarte a qué vino todo lo de anoche.

–Pensé que era sexo. Satisfacer una necesidad mutua. ¿O se trata de una pregunta con trampa?

¿Eso pensaba?, demandó su atontado cerebro. ¿Podía justificar el dar y recibir placer y amor apasionado como una simple gratificación de un apetito? ¿Sólo había significado eso para él? El dolor se retorció como un cuchillo en sus entrañas.

–Bas... bastardo –le tembló la voz–. ¿Cómo te

atreves a tratarme de esa manera? Como si fuera una especie de buscona.

–Porque pensé que te estabas ofreciendo. El vestido... la ropa interior parecían transmitir señales inconfundibles –hizo una mueca cínica al observarla–. Espero no haberlas leído mal. Dios prohíba que realice algo políticamente incorrecto.

–Lárgate de aquí –espetó con la barbilla alzada–. Vete a Yorkshire... y quédate allí. Toma todo el espacio que necesites. Y no me importa si no regresas.

–Qué caprichosa eres, cariño. Hace apenas un momento hablabas de una segunda luna de miel.

–Eso fue cuando aún pensaba que podíamos tener un matrimonio. No una broma enferma.

Dio media vuelta, salió del despacho y subió las escaleras, tratando de no tropezar con la bata. Llegó a la cama y se sentó en el borde, consciente de que las piernas probablemente ya no podrían sostenerla.

Escuchó, tratando de oír el sonido de Ryan al seguirla para ir a hacer las paces. Quería hundir la cara en su hombro y decirle que no hablaba en serio.

No podía dejar que se marchara de esa manera, aunque para él sólo hubiera sido un deseo satisfecho. El orgullo no importaba. Tendría que dar el primer paso conciliador, llamarlo. Preguntarle algo neutral, como cuándo iba a terminar la convención...

Cualquier cosa, sin importar lo trivial que fuera, que consiguiera llevarlo a su lado. Así podrían reconciliarse, y convencerlo de que la llevara con él, que necesitaban hablar.

Se puso lentamente de pie y se ajustó la bata. Y entonces oyó el apagado e inexorable sonido de la puerta al cerrarse.

–Ryan –dijo con voz angustiada. Bajó corriendo las escaleras, mientras rezaba para que fuera un error. Que no se había marchado.

Pero el piso estaba vacío.

Comprendió que por primera vez no tenía garantías de que fuera a regresar.

Fue el día más largo de toda su vida. Gran parte de él lo dedicó a estar acurrucada en un rincón del sofá con la vista clavada en el vacío.

Necesitaba hablar con alguien. Alguien que le dijera que todo se iba a arreglar. Llamó a Louie, pero sólo salió su contestador automático.

Incluso llamó a la madre de Ryan. Si le decía que estaba sola, quizá la señora Lassiter la invitara a ir a verla.

Parecía que todo el mundo se había ido. Y que la única que quedaba atrás era ella.

Comenzó a mirar la hora de forma obsesiva, calculando una y otra vez cuánto tardaría Ryan en llegar a su destino. Cuándo podría alzar el auricular y llamarla.

Moría la tarde cuando se sintió preparada para reconocer que su optimismo era infundado. Que probablemente no iba a llamarla.

–Así es –dijo con los dientes apretados–. Entonces la montaña irá a Mahoma.

Sabía dónde se iba a celebrar la convención, así que una simple llamada a información le bastó para conseguir el número de teléfono del lugar.

–Allengarth Centre –dijo la voz cálida de una mujer–. ¿En qué puedo servirle?

–Me gustaría hablar con Ryan Lassiter, por favor.

–Lo siento, pero aún no ha llegado –repuso tras una pausa.

–Pero lo esperaban al mediodía, ¿no? –su voz sonó llena de ansiedad.

–No, en absoluto. La convención se inaugura mañana por la noche. El señor y la señora Lassiter arribarán entonces, no antes.

–Lo siento –sintió la garganta paralizada–. No... no sabía que la señora Lassiter lo acompañaba.

–Oh, sí –afirmó la mujer–. Lo dejó bien claro cuando aceptó la invitación. Tenemos una suite preciosa para nuestros invitados de honor –calló un instante–. ¿Quiere que le dé un mensaje cuando llegue?

–No, gracias –se tranquilizó con un esfuerzo supremo–. puede esperar –tardó en colgar el auricular. Las manos no parecían estar coordinadas con su cerebro.

«No era de extrañar que no quisiera que fuera con él», pensó aturdida. Tenía planes muy distintos. Se llevó el puño a la boca, acallando el gemido de dolor. Lo de la noche anterior había sido la mayor traición de todas. ¿Cómo podía hacerle el amor de esa manera cuando planeaba pasar unos días prohibidos con su amante? A menos que fuera una despedida, desde luego. Algo para que lo recordara.

Fue de un lado a otro con los brazos cruzados y la mente dándole vueltas. Y aún le quedaban veinticuatro horas interminables antes de poder ir a Yorkshire a enfrentarse a ellos. Siempre que decidiera esa ruta de acción. Sí, ¿qué otra elección le quedaba? Era el momento de plantar cara.

No era capaz de comer, pero necesitaba algo que desterrara el frío interior y le devolviera las fuerzas. Al final calentó una lata con sopa de tomate.

Tampoco pudo soportar la idea de dormir en su cama. Buscó un edredón y una almohada y se acomodó en un sofá, donde una píldora para dormir la sumió en un sueño inquieto y cargado de imágenes.

Despertó a la mañana siguiente con un ligero dolor de cabeza, y por un momento tuvo la tentación de llamar a la oficina para decir que no iría. La idea de enfrentarse a Louie y Debbie y tener que fingir que todo estaba bien le revolvió el estómago.

Pero la perspectiva de otro día en el piso, yendo de un lado a otro y atormentándose con imágenes de Ryan y la otra mujer, resultaba igual de insoportable. Tomó unas pastillas de paracetamol y, con los ojos hinchados, se fue al trabajo en taxi.

Debbie la recibió con cara larga.

–Louie no va a venir –informó–. Cuando llegué

había un mensaje en el contestador diciendo que no se sentía bien.

Decidida, se sumergió en el trabajo para usarlo como paliativo y escudo contra la oscuridad que siempre anidaba en el borde de su visión.

Esperó hasta última hora de la tarde para volver a llamar al Allengarth Centre; en esa ocasión contestó un hombre.

–Buenas tardes –dijo con voz firme–. ¿Puedo hablar con el señor Lassiter, por favor? –el corazón le palpitaba con fuerza mientras esperaba que le pasaran con él.

–Lo siento, señora –dijo el hombre al rato–. No contestan en la suite.

–¿Pero están allí? –con la mano libre apretaba el borde de la mesa con tanta intensidad que los nudillos se veían blancos.

–El nombre del señor Lassiter figura en el libro de registro, señora. ¿Quiere intentarlo luego? ¿O desea que le transmita un mensaje?

–No. Ningún mensaje.

Le dijo a Debbie que se marchaba pronto y fue a la floristería que había a la vuelta de la esquina. Tenía que hablar con alguien o estallaría, y la candidata obvia era Louie. Mientras le preparaban las flores, Kate entró en la tienda de al lado a comprar una botella de vino. Juntas podrían ahogar sus penas en alcohol.

Kate bajó del taxi y subió por el sendero hasta la puerta de entrada, intercambiando una fugaz sonrisa con la mujer de la casa de al lado, que plantaba unos bulbos.

Tocó el timbre y esperó, pero no obtuvo una respuesta inmediata.

«Quizá Louie se encontraba físicamente enferma», pensó con el ceño fruncido. Se agachó y llamó por el buzón:

–Louie, soy yo. ¿Estás bien? Por favor, abre la puerta.

–Creo que no está en casa –la cabeza de la vecina se asomó por encima de la valla–. Ayer la vi irse con una maleta en un taxi, y no me percaté de su regreso.

–Debe ser una equivocación –indicó Kate–. No ha ido al trabajo por sentirse mal. Llamó para decirlo.

–Pero yo la vi –insistió la otra mujer–. Del mismo modo que la veo a usted ahora –hizo una pausa–. Quizá se fue a un balneario –ofreció en su deseo por ayudar–. Usted tampoco tiene buen aspecto. Se ha puesto pálida. No irá a desmayarse, ¿verdad?

«No», pensó Kate, mordiéndose el labio hasta que probó sangre. «No voy a desmayarme, ni a gritar, ni a llorar». En voz alta dijo:

–Lamento no haber podido despedirla. Creo que sé a dónde ha ido –alargó el ramo de flores por encima de la valla–. Tal vez le gustaría quedárselas.

–Bueno, es muy amable –la mujer lo aceptó con renuencia–. ¿Está segura de que no desea guardarlas?

–No son mis favoritas.

–¿Quiere que le diga que vino a visitarla? Cuando regrese, claro está –preguntó la mujer a su espalda.

–No, gracias –Kate no dejó de andar–. Creo que la veré antes que usted.

Había una cafetería en la manzana siguiente. Pidió un café solo y se lo llevaron a una mesa del rincón. Necesitaba un estimulante para mitigar el impacto que acababa de recibir. Y también necesitaba sentarse antes de desplomarse al suelo.

Su mente no paraba de evaluar una y otra vez las pruebas. Y sin importar el modo en que quisiera formular la ecuación, no dejaba de obtener la misma y terrible respuesta.

«Louie», pensó con el estómago revuelto. «Louie... y Ryan».

Al recordar las conversaciones mantenidas con ambos en la última semana, comprendió que eso explicaba muchas cosas. Pensó en la cena de despedida de Neil, cuando los encontró juntos en el salón, la expresión en el rostro de Louie...

Y la muy necia la había apoyado, y a su amor prohibido. Incluso la defendió. En ese momento entendió la advertencia que le había querido dar Ryan.

También entendía, demasiado tarde, por qué le había hecho el amor. «Para aliviar mis sospechas», tragó saliva a pesar del nudo que sentía en la garganta. «Cómo debieron reírse a mi espalda».

Ya no tenía ningún deseo de ir a Yorkshire. Lo último que deseaba era verlos juntos y enfrentarse a la confirmación final de sus peores elucubraciones. Aunque en algún momento tendría que hacerlo.

Su marido. Su mejor amiga. Los traidores.

El café tenía un sabor amargo en su garganta, pero lo bebió y se marchó, arrojando la botella de vino a una papelera.

«No puedo pensar qué hacer», dijo una voz inexpresiva en su cabeza. «No puedo regresar al piso... todavía no. No tengo nada... ni a nadie... y temo estar sola».

Decían que lo mejor era ocultarse entre una multitud, y eso es lo que iba a hacer. Iría al centro, cenaría, aunque no quisiera. Y vería una película.

Aún no podía decidir cuál sería su siguiente paso, porque todavía estaba atontada, pero no tardaría en sentir furia. «Quiero que Ryan pague», pensó cerrando los puños. «Quiero verlo sufrir, como lo hago yo ahora... si eso es posible. Quiero venganza».

Llegó al cruce con la avenida y se detuvo, buscando un taxi. Cuando una mano se posó en su hombro estuvo a punto de lanzar un grito; giró para enfrentarse a su agresor.

—Dios, lo siento —se disculpó el otro compungido y con encanto—. No pretendía sobresaltarte de esa manera. Imagino que no me recuerdas.

—Sí —repuso Kate despacio—. Te recuerdo muy bien. Eres Peter Henderson.

—La boda que jamás se celebró. Pero que se celebrará la semana próxima —sonrió—. En un registro civil con pocos testigos.

—Como tú dijiste —coincidió con esfuerzo—. Bueno, me alegro de que todo saliera bien.

—¿Qué haces por aquí? Estás un poco lejos de casa, ¿no?

—Fui a visitar a una amiga. Pero ya no estaba.

—Entonces lo que ella pierde lo gano yo —exhibió una expresión de esperanza—. ¿Alguna posibili-

dad de que tomemos una copa antes de que vuel-
vas devotamente a tu casa?

Kate lo observó. Desde la primera vez que lo
vio había sido consciente de su atractivo. En ese
momento el traje le añadía una distinción adicional. Y todavía seguía interesado en ella.

De pronto, con una claridad súbita y fría, se le
ocurrió el modo en que podría vengarse de Ryan.

—Gracias —estiró los labios secos en algo parecido a una sonrisa—. Re... realmente me gustaría.

BUENO, esto es maravilloso. Por los encuentros felices –Peter Henderson alzó su copa y Kate lo imitó–. No me lo creía cuando te vi en aquella esquina –continuó él–. Te llamé, pero parecías estar en otro mundo.

–Lo siento –Kate pasó un dedo por el pie de la copa–. Tenía la mente ida en ese momento.

–Te asusté de verdad, ¿no? –la miró fijamente–. Aún estás un poco pálida.

–¿Esa es tu forma de halagar? –rió con renuencia.

–¿Seguro que te encuentras bien?

–Seguro –miró en derredor del atestado pub–. Es un sitio agradable.

–Siempre ha sido uno de mis lugares favoritos –calló, luego añadió con brusquedad–: He pensado en ti, ¿sabes? Me preguntaba cómo te iba.

–Yo también he pensado en ti –bajó los párpados.

–¿Sí? –pareció tan auténticamente complacido que Kate sintió un remordimiento de conciencia–. ¿Y cómo está el escritor famoso? –añadió tras otra pausa.

–Oh... se ha marchado –bajó la vista a la mesa.

–¿De verdad? ¿Significa eso que esta noche no tienes que irte enseguida... y que estás libre para cenar conmigo?

–Seguro que ya tienes planes –hizo un gesto con las manos.

–Todo lo contrario, me encantaría que aceptaras iluminar una sombría noche de lunes. No puedes rechazarme una segunda vez.

«No podía decirle que no tenía intención de rechazarlo», pensó. «O que sus propios planes no se detenían en la cena». Rió.

–Bueno, pensaba abrir una buena lata...

Mientras él hacía una reserva telefónica, ella fue al cuarto de baño.

«¿Qué estoy haciendo?», se preguntó mirándose en el espejo. «¿En qué estoy pensando?» Pero ya conocía la respuesta a eso. La habían engañado y pensaba pagar con la misma moneda. Era así de simple.

Ryan iba a averiguar que él no era el único que tenía a otra persona importante en su vida. Además, a todos los efectos su matrimonio estaba acabado, y ella ya era una agente libre. «¿Quién podía decir que Peter Henderson no se convertiría en algo permanente en su vida?», pensó alzando la barbilla en gesto desafiante.

Igual que otras muchas mujeres, tenía que empezar a levantar una nueva vida de las ruinas de la vieja. «Pero a mí me encantaba la vieja», pensó con desolación. «Quiero que me la devuelvan».

Pero Ryan había tomado otra decisión. A partir de esa noche ella tenía que convencerse de que aún resultaba deseable, como ya le informaban los ojos de Peter. Que la pérdida del amor de Ryan no era una especie de agujero negro por el que estaba destinada a caer durante toda la eternidad.

Tenía su orgullo. Quizá era lo único que le quedaba. Asintió con vigor y regresó junto a su cita.

–Es un nuevo restaurante francés –indicó Peter en el taxi–. Me han llegado buenos comentarios sobre él.

«Oh, Dios», rezó Kate. «Por favor... que no sea el Amaryllis». Y por una vez sus plegarias fueron respondidas.

En la fachada ponía La Rivière. Comprobó que la comida era estupenda. Comenzaron con *paté de campagne* y pasaron a un jugoso estofado de exuberante sabor.

Peter tenía una charla amena. Sabía de platos y vinos buenos, y evidentemente disfrutaba con la comida, sin llegar a resultar pretencioso. También le gustaban los libros, y era un asiduo asistente a los teatros.

En un momento pensó que a Ryan le caería bien y tuvo que fingir que se le había caído la servilleta para recuperar la serenidad.

–¿Sucede algo? –preguntó él.

–No –mintió con una sonrisa–. Pensaba en lo maravilloso que es este lugar. Debo decírselo... –calló.

–¿Decírselo a quien? –instó Peter–. ¿A tu marido?

–No –se apresuró a corregir–. A Louie... mi socia.

–¿Qué te ha parado?

–Creo que la sociedad no va a durar mucho –bajó la vista–. I... Imagino que vamos a cerrar la empresa.

–Qué pena –frunció el ceño–. ¿No te sentirás perdida sin ella?

–Ya no.

–Me sorprendes –aseveró con tono ligero–. Te hacía una de esas nuevas mujeres que lo tenía todo y que sin esfuerzo dividía su tiempo entre el matrimonio y ser la Empresaria del Año.

–El matrimonio requiere mucho esfuerzo, créeme –la amargura se filtró en su voz antes de que pudiera evitarlo.

–Pero debe tener sus compensaciones, de lo contrario la gente lo dejaría como un mal trabajo –le pasó el menú de los postres–. La *tarte tatin* es excelente –recomendó.

–Ya no puedo tomar nada más –sacudió la cabeza.

–Bien –aceptó–. Mi apartamento está cerca. Puedo invitarte a un café y un buen Armagnac.

«Ahí estaba», pensó ella con un nudo en la garganta. «Las cartas sobre la mesa. Estaba tan alejada de los rituales de seducción que no lo había visto llegar. Aunque había esperado que él fuera más sutil». Se sintió extrañamente decepcionada. Pero no lo reflejó. Se obligó a sonreír y mirarlo a los ojos.

–Eso sería... –mantuvo la pausa adrede–... muy agradable.

Vivía en la tercera planta de un bonito bloque de apartamentos con fachada de ladrillos rojos. Su casa era amplia, con una decoración que mezclaba cosas modernas con piezas antiguas.

Mientras él estaba ocupado en la cocina, Kate echó un vistazo con la copa de brandy en la mano, aunque sin llegar a centrarse en nada. Se detuvo ante una ventana, separó las cortinas y observó la oscuridad.

–Ven a tomar el café –Peter había vuelto y depositaba una bandeja en la mesa baja que había frente al sofá.

Aceptó la taza que le ofrecía con un murmullo de agradecimiento, buscando algo que decir... que lo convenciera de que estaba disponible y al mismo tiempo de que realmente eso era lo que ella quería.

Pero no se le ocurrió nada.

Quizá fuera mejor si la estrechaba en sus brazos y tomaba él la decisión.

Cuando Peter le quitó la taza de la mano no se resistió, aunque sintió que la garganta se le atenazaba. Dejó que la girara con suavidad para quedar frente a él. Cuando sus labios tocaron los suyos, lo hizo con gentileza, casi de forma tentativa. No amenazaban nada, y Kate cerró los ojos, tratando desesperadamente de responder, de sentir algo, pero sin conseguirlo.

Sólo pensaba en Ryan, y en el modo en que su cuerpo había florecido con gozo la primera vez que le tocó la mano. El único hombre al que había amado. El único al que había deseado. Nada podría cambiar eso.

–Ah –musitó Peter en voz baja. La soltó y alzó la taza de café. Reinó el silencio. Al rato añadió–: ¿Qué haces aquí, Kate?

–Me invitaste...

–Pero no esperaba que aceptaras –repuso–. Estás casada, Kate.

–¿Y qué diferencia plantea eso? –demandó a la defensiva.

–Mucha, diría yo. En especial para alguien como tú –sacudió la cabeza–. Toda la noche has exhibido tal fragilidad que si posara una mano en ti probablemente te quebrarías.

–Siempre podrías probar... –forzó una sonrisa–, y averiguarlo.

–No lo creo –volvió a sacudir la cabeza, con lentitud y pesar–. Y no es porque no quiera, sino porque sé que tu corazón no está en ello –suspiró–. Pero el mío sí podría estarlo, y no quiero que resulte herido.

–Ya... comprendo –dejó la taza con cuidado en la bandeja.

–No, no lo comprendes, porque ni yo puedo hacerlo. Sólo sé que esto no puede suceder, y fui un tonto al pensar lo contrario –esbozó una sonrisa fugaz–. Bébete el café, y también el Armagnac, porque das la impresión de necesitarlo; luego te llevaré a casa.

–No hace falta –respondió con rigidez.

–Sí –la contradicción fue firme–. En otro momento, en otro lugar, en otra dimensión, lo nuestro podría haber funcionado –calló un instante–. Pero ahora me da la impresión de hallarme atrapado en algo que acontece en tu vida y no estoy preparado para aprovecharme de tu desdicha.

–Me siento tan avergonzada –Kate agachó la cabeza–. Pensé que podría... quiero decir... pero no puedo. Lo... lo siento...

–Lo sé –dijo él–. Y no pasa nada –titubeó–. ¿Quieres hablar de lo que de verdad está pasando?

–Tampoco puedo hacer eso –sacudió la cabeza al tiempo que una lágrima caía por su mejilla.

–Bueno –el tono de Peter fue filosófico–. Digamos que hemos disfrutado de una buena cena, y dejémoslo ahí.

–Eres un hombre tan agradable. Me gustaría...

–No, no es verdad –hizo una mueca–. Eso me enseñará a no cazar en la reserva de otra persona.

No hablaron mucho en el taxi que los llevó hasta el piso de Kate.

–¿Estarás bien? –preguntó Peter al acompañarla al ascensor.

«No», pensó Kate. «Pero al menos no he empeorado una situación ya mala».

–Estaré bien –alzó la barbilla–. Y... gracias por ser tan comprensivo.

–Dicen que es mi mejor rasgo –plantó un beso fugaz en su mejilla y se marchó.

Kate cerró la puerta y se quedó unos momentos apoyada contra ella, escuchando el silencio. «No basta con sentirte herida y furiosa que tienes que comportarte de una forma impensable?», se reprendió. Si Peter Henderson hubiera sido una clase

diferente de hombre, podría haber estado en verda-
deros problemas.

Una mirada al contestador le indicó que no había ningún mensaje. ¿Qué esperaba?

Sin fuerzas, se dirigió a la cocina y se preparó
un té de hierbas. Quizá la calmara y la ayudara a
dormir, pensó mientras lo bebía. Puede que incluso
consiguiera que dejara de pensar.

No podía enfrentarse a otra noche en el sofá. Además, tenía que empezar a acostumbrarse a la mitad de
la cama vacía. Se dio una ducha y se puso el camisón.
Se echó y se quedó mirando la oscuridad, tratando de
reconciliarse con la idea de un futuro sin Ryan.

«Y yo pensé que éramos tan felices», se mofó.
«Que lo teníamos todo. Una carrera de éxito, un
buen estilo de vida, satisfacción».

Pero al mirar atrás se dio cuenta de que el entusiasmo de Ryan por los adornos exteriores de su
éxito siempre había sido callado.

Ella había elegido el piso, y él lo aceptó. Como
explicó con un encogimiento de hombros, podía
escribir en cualquier parte. Pero en ese momento
comprendió que Ryan nunca lo había considerado
un hogar, del modo que se sentía a gusto en su antiguo apartamento.

«Yo quería prestigio... enviarle señales al
mundo», reflexionó. «Como era feliz, supuse que
también Ryan lo sería. Pero no era así. Él quería un
estilo de vida muy distinto, ese del que siempre habíamos hablado... y yo también lo quería, en cierto
sentido. Pero había tantas otras cosas en marcha
que parecía fácil postergarlo».

Pero... él se cansó de esperar.

Se preguntó cuánto habría tardado en comprender lo que sucedía sin la carta anónima que, con una mueca, supuso que debió enviar Louie. De golpe se sentó en la cama.

–No puedo quedarme aquí –habló en voz alta en la oscuridad–. No soporto las asociaciones. Y tampoco puedo esperar que él vuelva a decirme lo que pasa. Será más fácil para ambos que ya me haya ido. Sin explicaciones ni excusas... una ruptura limpia.

Al día siguiente encontraría un apartamento, un sitio donde estar hasta poder trazar algunos planes reales.

No sólo su vida con Ryan iba a quedar desmantelada, sino también su negocio. Tendría que preparar algunos proyectos laborales, solicitar un préstamo para comprar la mitad de Louie. También encontrar otras oficinas, un lugar con menos recuerdos.

–Empezaré mañana –se juró, echándose y cerrando con decisión los ojos.

Cuando despertó vio un día grisáceo, algo adecuado en esas circunstancias.

–Louie aún no ha venido –informó Debbie cuando llegó a la oficina.

–Puede... que no vuelva en un tiempo –explicó con cautela–. Tendremos que arreglarnos.

Fue otra mañana ajetreada en la que el teléfono no paró de sonar. Kate terminaba un borrador de presupuesto cuando recibió una llamada por la línea directa.

—Sí —contestó distraída.

—Kate, querida, soy Mary —la voz de su suegra sonó tímida—. Sally y yo estamos en la ciudad para hacer algunas compras. Sé que es algo imprevisto, pero, ¿podrías escaparte para comer con nosotras? —hizo una pausa—. Hay algo de lo que debemos hablar.

—¿Sí? —preguntó con voz cortada y un nudo en la garganta.

—Creo que sí —Mary Lassiter titubeó—. He reservado una mesa en Wallaces para la una y media —rió incómoda—. Espero que no sea demasiado tradicional para ti.

—No —aseguró Kate—. Será... un placer.

Colgó y respiró hondo. ¿Habría delegado Ryan en su madre para transmitirle la noticia? ¿Se sentía tan culpable que no se atrevía a verla en persona?, se preguntó antes de recordar su propia intención de evitarlo mudándose del piso.

Al bajar del taxi Kate pensó que Wallaces siempre había sido uno de los restaurantes favoritos de sus suegros. Lo que aún no entendía era por qué había aceptado ir. Se protegió bajo el paraguas y le pagó al conductor, luego se cobijó bajo el toldo verde.

Era un restaurante convencional que servía platos típicos ingleses. La señora Lassiter y Sally ya estaban sentadas a la mesa. Cuando Kate se acercó, su suegra se levantó, pero Sally no se movió.

–Kate, querida. Ma parece que hace siglos que no te veo –su voz sonó contenida, pero el beso que le dio mostró su habitual calidez. Luego se apartó y la observó con ojos críticos–. Has perdido peso. Espero que no estés en una de esas terribles dietas.

–Creo que se debe al estrés –contestó–. Hola, Sally.

–Hola –Sally la miró con expresión velada.

–Estamos bebiendo agua mineral –dijo la señora Lassiter al volver a sentarse–. Pero si tú deseas algo más fuerte, adelante.

–¿Crees que lo necesito? –la sonrisa de Kate fue tensa–. ¿Puedo decir que sé por qué habéis venido y lo que vais a contarme?

–¿Sí? Bueno, está bien... pero podríamos tener un almuerzo agradable...

–En realidad no está bien –Sally, acalorada de repente, se adelantó y habló en voz baja y furiosa–. Una felicitación podría ser agradable... o incluso una muestra de interés por cómo me siento. Pero, claro está, eso es esperar demasiado. Desde que te casaste con Ryan siempre hemos tenido que ir de puntillas para no herir tus sentimientos... cerciorarnos de que no te perturbábamos. Bueno, a mí ya no me importa más. Creo que eres una zorra egocéntrica.

–Espera un minuto... –Kate frunció el ceño incrédula.

–No he terminado –Sally respiró hondo–. Sucede que amo a mi marido y amo a mis hijos. Ellos me brindan más satisfacción que la que jamás me dio mi carrera. Sin importar lo que tú puedas pensar, soy feliz. Así que, ¿podemos ahorrarnos las miradas de pena y los comentarios críticos, por favor?

–Dios mío –dijo Kate, comprendiéndolo de golpe–. Sally... vas a tener otro hijo.

–Eso ya lo sé –repuso su cuñada–. Y todo el mundo en mi familia, excepto tú. Pero a ti no hay que decírtelo por si piensas que se te vuelve a insistir sobre el tema y empiezas a fastidiar de nuevo a mi pobre hermano.

–Eso ha sido mi culpa –lamentó la señora Lassiter–. No mostré tacto al interferir de esa manera... oh, esas cosas que odio en las otras suegras. No culpo a Kate por estar furiosa.

–¿El día que me presenté sin avisar? –las miró a las dos–. ¿De eso se trataba?

–Habíamos preparado una pequeña celebración –Sally la miró con ojos desafiantes–, pero no pudimos tenerla estando tú presente, para que no pensaras que hurgábamos con sal en tu herida.

–Jamás habría pensado eso –protestó Kate.

–¿De verdad? –el tono de su cuñada fue escéptico–. No era esa la impresión que daba. Y no te lo estaría diciendo ahora si no fuera a ser evidente en poco tiempo.

–Sally –cortó su madre–. Ya basta.

–Hace un momento me llamaste zorra egocéntrica –Kate respiró hondo–. Parece una descripción correcta. Lamento que consideraras que no podías hacerme partícipe de un secreto tan importante hasta ahora. Me... me alegro de verdad por ti, Sally.

–¿En serio acabas de adivinarlo, querida? –la

señora Lassiter tenía el ceño fruncido–. Por lo que acabas de decir...

–Oh, eso era otra cosa –se apresuró a interrumpir Kate–. Y en realidad no es importante –no podía estropearles el momento contándoles que Ryan y ella iban a separarse–. A propósito, yo invito –le sonrió con incomodidad a Sally–. ¿Puedes beber algo de champán o el bebé pondrá alguna objeción?

–Supongo que una copa no será muy perjudicial –la cara de su cuñada se suavizó un poco–. Por lo menos ya he dejado de vomitar –alargó una mano y la apoyó en el brazo de Kate–. Gracias, y siento haber explotado contigo. Achácalo al desequilibrio hormonal –la miró–. ¿Estás bien? De pronto pareces aturdida. ¿Es por algo que he dicho?

–No –respondió con esfuerzo–. De repente recordé algo que he pasado completamente por alto, eso es todo –giró la cabeza en busca del camarero–. ¿Estamos listas para pedir?

Por fuera fue el alma de la comida, riendo y hablando y haciendo brindis extravagantes en honor de Sally y del bebé.

Mientras que en todo momento una voz en su cabeza susurraba: «No puede ser verdad. Sólo fue una indisposición. Eso es todo. No puede ser otra cosa. No puede. No ahora... ni nunca».

Y al pensar en ello quiso apoyar la cabeza en la mesa y llorar.

Capítulo 10

BUENO, me encanta comunicarle que no se ha equivocado –la doctora Hamell le sonrió a su paciente–. ¿De verdad no adivinó que estaba embarazada, señora Lassiter?

–No hasta hoy, cuando hablé con mi cuñada –Kate meneó la cabeza–. Pero estoy tomando la píldora.

–Que no es infalible. En especial si ha sufrido alguna molestia gástrica durante el último mes. ¿La ha padecido?

–Pero aún así, he perdido peso, no lo he ganado.

–Eso puede pasar en las primeras fases, pero no tardará en recuperarlo. ¿No se dio cuenta de que había perdido un período?

–No... no lo noté –tragó saliva–. Últimamente he tenido muchas cosas en la mente. He estado bajo mucho estrés.

–Bueno, a eso hay que ponerle freno inmediato –dijo la doctora con fingida severidad–. Quiero que vea al experto en nutrición de la clínica, y que también pida hora para verme la semana próxima, cuando se haya recuperado de la sorpresa –hizo una pausa–. Imagino que quiere ir corriendo a casa a contárselo a su marido.

–No está en la ciudad. Ha salido a dar unas conferencias.

–Bueno, entonces será una magnífica sorpresa de bienvenida.

«En cuestión de horas he perdido a mi marido, a mi amiga y socia y adquirido un bebé que tendré sola», pensó al salir. No era una ganga, reflexionó con amargura.

Las recriminaciones ya eran inútiles. Volvería a la oficina y recogería sus cosas; le diría a Debie que se tomaba unos días libres. Luego encontraría una especie de santuario mientras intentaba recuperarse.

–Louie ha vuelto –le dijo Debbie cuando se encontraron en la escalera–. Y se nos ha acabado el café.

Alzó la barbilla, terminó de subir los escalones que quedaban y abrió la puerta. Louie se hallaba en la recepción, concentrada en arreglar unas rosas amarillas en el único jarrón de la empresa.

–Hola –intentó sonar indiferente–. ¿No son preciosas? En realidad son para ti, pero pensé que no te importaría que las colocara.

–Adelante –dijo Kate. «Ya te has llevado todo de mi vida, ¿qué importa un ramo de flores?» En voz alta añadió–: No esperaba verte.

–Ni yo estar aquí –Louie se mordió el labio–. Lamento haber mentido sobre lo de estar enferma. La señora Ransom dijo que me llevaste flores. Me... siento horrible.

–¿Por qué te han descubierto? ¿O esperabas que tu plan fuera un gran secreto?

–No sé qué esperaba –Louie hizo una mueca–. Ni siquiera me puse a pensar en ello hasta que llegué al aeropuerto, y entonces comprendí que no podía seguir adelante –echó la cabeza hacia atrás–. Ryan tenía razón, después de todo. Se había acabado, y debía dejar que así fuera –frunció el ceño–. Kate... ¿te encuentras bien? Tienes un aspecto horrible.

–¿Qué aspecto se supone que debo tener... al oírte hablar de él de esa manera –demandó con aspereza–. ¿Crees que porque forma parte del pasado ya no importa? Si es así, te equivocas.

–Pero tú me animaste –Louie la miró perpleja–. Dijiste que estarías de mi lado, sin importar qué pasara. No sabía que el matrimonio de Joe fuera tan importante para ti.

–¿Joe? –fue el turno de Kate de mostrarse sorprendida–. ¿Te refieres a Joe Hartley? ¿Qué tiene que ver con esto?

–Joe y yo nos hemos estado viendo durante casi un año –explicó Louie con voz tensa–. Al final decidió aceptar el traslado a Nueva York para ver si podía recomponer su matrimonio. Intentar tener un hijo. Todo eso. Hace dos días decidí seguirlo y ver si podía recuperarlo –juntó las manos con fuerza–. Pen... pensé que lo sabías. Que Ryan te lo había contado.

–No, jamás dijo una palabra.

–Ha sido... muy tolerante –Louie apretó los labios–. En especial cuando lo desaprobaba con todo su ser –hizo una pausa–. Nos conocimos en tu piso... en aquella fiesta de fin de año, ¿recuerdas?, cuando su mujer estaba resfriada y no pudo asistir.

–Sí –repuso Kate con voz temblorosa–. Lo recuerdo –incluso recordó a Louie y a Joe hablando en un rincón, las cabezas muy juntas. Recordó el placer que sintió al ver que disfrutaban de su mutua compañía. Le gustaba que sus amigos se hicieran amigos. Respiró hondo–. Dios mío, lo torpe que puede llegar a ser alguien.

–Lo de torpe lo entiendo, pero, ¿por qué estás tan enfadada? –Louie la miró con ojos inseguros–. Para serte sincera, Katie, hace un momento parecía que me odiaras. Como si yo fuera la peor escoria de la Tierra. Y no he hecho nada.

–¿Dónde has estado? –Kate aún se mostraba cauta.

–Después de cancelar el billete de avión, me encerré en uno de los hoteles del aeropuerto –suspiró–. Lloré un poco, y me enfadé conmigo misma. Lo habitual. Sé que fue una estupidez, y te dejé sola, pero necesitaba... enterrar el pasado a mi propia manera. Estaba segura de que lo entenderías.

–No creo entender mucho... ni siquiera ahora –Kate reconoció con cansancio–. Lo siento, Lou. Está claro que me equivoqué. Creo que yo necesito irme, llorar y enfadarme.

–Creo que te vendría bien un descanso –coincidió–. ¿Qué piensa Ryan?

–Ryan no está –de algún modo logró evitar que se le quebrara la voz–. Da unas conferencias en el norte –con alguien que pensé que eras tú, y aunque me alegra mucho haberme equivocado, no mejora en nada la actual situación, pensó. De hecho, la revelación de Louie lo había vuelto a agitar todo.

–Comprendo –había una nota extraña en la voz de Louie–. Kate... di que me meta en mis asuntos si quieres, pero, ¿va todo bien entre Ryan y tú?

–¿Qué hace que lo preguntes? –Louie había confiado en Ryan, y quizá dicha confianza había sido recíproca.

–Esto, para empezar –dirigió la mirada a las rosas amarillas–. Las trajo hace media hora un hombre alto y rubio, muy atractivo. Dijo que se llamaba Peter y que venía para cerciorarse de que te encontrabas bien –la miró a los ojos–. Bueno... ¿lo estás?

–Lo estaré –afirmó–. Y... Peter... las flores... no son lo que piensas. Es... sólo un amigo.

–Me encantaría tener esos amigos –Louie suspiró–. Me gustaría haber dicho que estabas en la lista peligrosa, quizá hubiera vuelto.

–Lou, eres incorregible –a pesar de su tumulto interior, Kate esbozó una sonrisa–. Y necesito un favor... un par de días libres, sin preguntas –vio que su amiga fruncía el ceño y se apresuró a añadir–: Te juro que no tiene nada que ver con Peter Henderson.

–¿Estás segura de que no puedo ayudarte?

–Ahora no –Kate sintió un nudo en la garganta–. Pero quizá en el futuro...

–Estoy impaciente por saber qué pasa –Lou abrazó a su amiga con fuerza–. Pero tómate el tiempo que necesites.

Era de noche cuando Kate llegó a Allengarth. Había conducido agradecida de que la incertidumbre terminaría pronto. Y pensando que conocer al fin la verdad sólo podría representar un alivio.

Era un pueblo pequeño en el que había un pub que ofrecía habitación y desayuno. Se hospedó allí. En esas circunstancias no podía alojarse en el Centre.

El camino hacia el Centre estaba bien señalizado, por lo que Kate dejó el coche en la zona de aparcamiento en la parte posterior del pub y caminó los ochocientos metros que la separaban de Ryan.

Al llegar a las puertas del Centre tuvo una vacilación momentánea, luego enderezó los hombros y subió por el ancho sendero.

Entró por las dobles puertas de cristal y se quedó mirando a su alrededor. A la derecha estaba la recepción y a través de una puerta abierta vio un bar con grupos de gente. Se asomó, pero no pudo ver a Ryan.

Lo obvio sería preguntar en la recepción, pero era renuente a hacerlo. Después de todo, pensó, había conducido cientos de kilómetros para sorprenderlo desprevenido.

En una de las paredes vio una enorme pizarra cubierta con anuncios. En ella encontró una lista de los delegados que asistían a la convención... y los números de sus habitaciones.

Tras una rápida ojeada vio que Ryan ocupaba la Suite Principal en la primera planta.

Tragó saliva y de forma convulsiva cerró los dedos en torno a la correa del bolso. Había llegado el momento y no era posible retroceder el reloj a días más felices.

Encontró la suite sin dificultad en el extremo de un largo corredor. En el pomo de la puerta colgaba el cartel de «No Molestar».

Estaba a punto de llamar cuando siguiendo un impulso primero probó la puerta; para su sorpresa, se abrió.

La empujó con fuerza y entró. Fue consciente de movimientos, de cabezas que se volvían. Pero la única persona que vieron sus ojos fue a Ryan.

Se había puesto de pie y la miraba, la cabeza ligeramente ladeada, los ojos velados.

–Hola, Kate –saludó con serenidad.

Ella lo había planeado todo de camino. Iba a mostrarse digna, civilizada. No pensaba derrumbarse ni armar una escena.

Pero ver su autocontrol cuando ella se estaba viniendo abajo hizo que algo estallara en su cabeza. Su voz salió al borde de un grito.

–No te atrevas a decirme «Hola». No te atrevas. Estoy embarazada, ¿me oyes? Embarazada.

Reinó un silencio atónito, luego, con ciertos titubeos, alguien se puso a aplaudir. Se le unieron otros, y el sonido le martilleó los oídos y alertó a su conciencia. Kate vio que se hallaba en un salón, con una docena de sillas distribuidas en un semicírculo, y percibió unas caras sorprendidas que le sonreían.

La única cara que se mantenía seria era la de Ryan.

–Como pueden conjeturar, damas y caballeros, esto no forma parte del curso –esperó que las risas murieran y luego añadió–: Quizá podamos proseguir mañana.

Hubo un murmullo de aquiescencia. Los asistentes comenzaron a levantarse, llevando las sillas junto a la pared, recogiendo papeles y maletines, mientras Ryan los despedía en la puerta.

Kate, inmóvil como si se hubiera convertido en piedra, notó sus ojos sobre ella. Pudo sentir su interés, los comentarios susurrados.

¿Dónde estaba la joven a la que esperaba encontrar? No entre ese grupo. La única mujer presente ya había alcanzado la mediana edad.

Había otra puerta en el extremo del salón. Kate se dirigió a ella, la abrió y entró. La habitación era espaciosa, con armarios y cómodas y una cama matrimonial. También estaba vacía.

Abrió los armarios. En el primero vio la ropa de Ryan colgada en espléndido aislamiento. Los otros se hallaban vacíos.

Lo mismo descubrió en las cómodas. No había ni rastro de la presencia femenina que había esperado.

—Estábamos hablando de las entradas dramáticas —dijo Ryan lacónico desde la puerta—. Tu llegada no pudo haber sido más sincronizada.

—No te rías de mí, bastardo —espetó con los dientes apretados.

—¿Me ves remotamente divertido? —tenía el rostro como tallado en granito, la boca sombría, con las líneas a los costados muy marcadas—. ¿Hace cuánto que sabes... lo del bebé?

—Lo averigüé hoy.

—Y viniste directamente a acusarme. Y también, sin duda, a recibir unas disculpas por haber interrumpido tu exitosa carrera. Bueno, pues para eso tendrás que esperar mucho, Katie.

A Kate la cabeza le daba vueltas. Había ido para enfrentarse a él y, de algún modo, las tornas habían cambiado y era ella la equivocada. Abrió los labios para negarlo, pero Ryan la cortó:

–¿Qué sucede a continuación? ¿Nos mudamos a un piso más grande y mejor, contratamos a una niñera y esperamos que nuestras vidas recuperen su estilo normal tras esta interrupción menor?

–No vine a discutir sobre eso. Ni... ni siquiera estoy segura de que deseara mencionar la existencia del bebé.

–Eso sí me lo creo –aceptó con tono amargo. Señaló la cómoda abierta–. ¿Buscas algo?

–Buscaba, pero al parecer has eliminado las pruebas. ¿Es algo que te han enseñado tus novelas de misterio?

–Sí me han enseñado que las cosas no siempre son lo que parecen –se acercó a ella–. ¿Para qué has venido... si no es para comunicarme que voy a ser padre?

–Porque tienes una aventura. Y quiero conocerla –cerró de golpe el cajón–. No finjas conmigo, Ryan. Lo... sé. Lo sé desde hace semanas.

–¿Cómo lo averiguaste? –se sentó en la cama sin apartar ni por un momento los ojos de ella.

–Recibí una carta... una asquerosa carta anónima –el dolor le atenazó la garganta. Así que no iba a negarlo.

–¿Puedo verla?

–La rompí y luego la quemé.

–Una actitud comprensible –reconoció Ryan con frialdad–. ¿Recuerdas lo que ponía?

–Que amabas a otra mujer –contuvo un sollozo–. Y la firmaba «Un Amigo». Eso es lo peor de todo. Puede que sea la mujer a la que amas, pero, ¿no te parece que es muy desagradable, Ryan?

–¿Por qué nunca mencionaste esa carta... siendo evidente que te impresionó?

–¿No era esa su intención? ¿O no sabías que la habían escrito?

–Sí –reconoció con voz extraña–. Lo sabía. Pero no produjo el efecto deseado.

–¿Esperabas que me marchara... que te dejara con el camino despejado?

–Todo lo contrario, pensé que te enfrentarías a mí con la carta. Que me la tirarías a la cara, que gritarías, que me golpearías incluso. Que exigirías saber qué estaba pasando.

–¿De qué habría servido? –alzó la barbilla–. No... no voy a montar una escena ahora. Ya he quedado como una tonta en el pasado. Sólo vine a buscar pruebas.

–¿Por qué pensaste que las encontrarías aquí?

–Porque vino contigo. La registraste como tu mujer. Por eso te dieron esta suite.

–Te equivocas, Katie –meneó la cabeza–. Te registré a ti como mi mujer. Aunque no estaba seguro de que vinieras. Simplemente... recé para que así fuera. Confié en tu amor para que me siguieras.

–¿Por qué? ¿Porque tu otra mujer te defraudó?

–Tú eres mi otra mujer, Katie –anunció con suavidad–. Tú y nadie más. Nunca ha habido... y nunca habrá nadie más. Sólo tú.

–Pero la carta... –calló desconcertada.

–Yo la escribí –alargó los brazos y le aferró las manos, acercándola a la cama junto a él. Temblaba–. No estoy orgulloso de lo que hice –continuó–. Pero estaba desesperado, y no se me ocurrió otra cosa. Te veía marchar por ese túnel brillante, con los ojos clavados en otro horizonte, alejándote cada vez más de mí y de la mujer con la que me casé –sacudió la cabeza–. Jamás sabrás lo solo que me sentía. Lo asustado que estaba. ¿Te das cuenta de que a veces pasaban días enteros sin que habláramos?. Fines de semana en que no te veía. Daba la impresión de que todos nuestros sueños y planes habían quedado a un lado. Y vi cómo Joe pasaba por lo mismo en su matrimonio, a punto de perderlo todo –respiró de forma entrecortada–. Pensé que te perdía, Katie, y no podía soportarlo –calló un momento–. Necesitaba saber si podrías soportar perderme. Siempre te dije que era un jugador... y en esta ocasión lo arriesgué todo.

–No te creo –dijo Kate con voz quebrada tras un silencio–. ¿Cómo podrías hacer algo así?

–Necesitaba una reacción de ti –explicó Ryan con intensidad–. Imagino, que Dios me ayude, que quería que lucharas por mí... que me mostraras que te importaba. Que, con todo en contra, demostraras que aún compartíamos nuestro sueño –alzó las manos de ella y se las llevó al pecho–. Te amo, Kate... más que lo que nunca sabrás. Habría hecho esto y más para recuperarte. Si no puedes perdonarme...

es algo que, de algún modo, aprenderé a soportar. Pero tenía que intentarlo.

–¿Me dejaste pasar por todo esto? –había empezado a temblar–. Hiciste que te siguiera por Londres... por todas partes...

–Juro que jamás pensé que llegaría tan lejos –gimió–. Si te hubieras plantado ante mí en ese momento, te habría contado la verdad de inmediato. Estaba preparado para cualquier desenlace... pero tenía que averiguarlo –le enmarcó el rostro en las manos y la miró con ojos angustiados–. No te culparía si me odiaras. Pero me seguiste, Katie. Ahora estás aquí, donde debes estar. ¿No significa eso que me amas? ¿Qué aún tenemos algo juntos por lo que vale la pena luchar?

La expresión era de súplica... vulnerable. Kate captó la inseguridad en su voz... la culpa.

Y de pronto vio su matrimonio tal como él lo había visto. Y en ese momento comprendió lo cerca que habían llegado del abismo. Lo fácil que habría resultado caer.

«Nos estábamos separando», pensó sorprendida. «Debí darme cuenta cuando Peter Henderson me invitó a cenar la primera vez y sentí la tentación de aceptar. O quizá lo supe, y por eso volví a toda velocidad a casa. Tal vez yo también percibí el peligro». En el silencio reinante lo oyó susurrar su nombre.

–Me importa –dijo con voz frágil–. Oh, Ryan, me he sentido tan desdichada –se inclinó y con torpeza encontró sus labios y se agarró a sus hombros–. Pensé que ya no me querías más.

–Jamás fue eso, cariño –la abrazó–. Pero me parecía que hasta hacer el amor había entrado en una rutina. Y que un período de abstinencia podría venirnos bien. Aunque apartarme de ti fue lo más duro que he tenido que hacer en mi vida. A veces estaba tan loco por ti, que no me atrevía a ir a la cama –algo parecido a su antigua sonrisa se reflejó en su cara–. Sabía que mi determinación no duraría para siempre. Y la noche pasada se quebró, con resultados espectaculares.

Kate lo besó otra vez, con más profundidad.

–La recuerdo bien. Pero, ¿por qué te marchaste por la mañana... cuando yo quería venir aquí contigo? ¿Por qué no me lo explicaste entonces?

–Supongo que temí que la cama fuera el único sitio donde pudiéramos reconciliarnos –dijo al fin–. Y quería que nuestro matrimonio funcionara en todos los sentidos. Además, porque no vine a Yorkshire directamente. Realicé un pequeño desvío.

–¿Oh? –Kate se puso rígida en sus brazos.

–Debo hacerte otra confesión –asintió con gesto avergonzado–. He estado buscando una casa. Sé lo que te gusta nuestro piso, pero añoro la hierba, los árboles y el aire puro, Katie. Quiero un poco de espacio a mi alrededor, y mi propia tierra sobre la que caminar. Y está Algy. En un principio me lo regalaron a mí, pero jamás he tenido un sitio donde mantenerlo conmigo –calló un instante–. Sin embargo, comprendo que tal vez tú no sientas lo mismo, así que pensé... esperaba que pudiéramos alcanzar un compromiso –sonó ansioso–. Quedarnos también con el piso. Dividir de algún modo nuestro tiempo entre las dos casas.

–Creo que el bebé preferirá el campo –le acarició la cara con ternura–. Y yo también quiero que volvamos a compartir nuestro sueño –meneó la cabeza–. Sabía que faltaba algo. Lo que pasa es que no sabía cómo recuperarlo.

–Pero tu trabajo, Katie. La empresa. Sé todo lo que significa para ti. Y quiero que sigas teniéndola.

–Puedo trabajar desde casa. Otras muchas mujeres lo hacen. Aunque necesitaremos despachos separados –añadió–. ¿Doy por hecho que el desvío fue un éxito? ¿Qué has encontrado algo?

–Tiene verdaderas posibilidades –añadió con voz ansiosa–. Posee un jardín grande, y un huerto, aunque la casa en sí misma necesita unos arreglos. Pero el matrimonio que vive allí acaba de celebrar sus bodas de oro, y dice que es una casa para la felicidad... –calló con brusquedad–. Dios mío, ¿suena ridículamente sentimental?

–Para mí no –dijo ella. Por primera vez en semanas se sentía en paz consigo misma, consciente de diminutos destellos de esperanza y júbilo desplegándose en su interior–. ¿A Algy le gustará el bebé?

–Los basset son magníficos con los niños –la tranquilizó Ryan–. Pero se me acaba de ocurrir... la otra noche, cuando hicimos el amor... ¿fue seguro? ¿Le habremos hecho daño al bebé?

–El bebé tendrá que acostumbrarse –comentó Kate con suavidad–. Empezando desde ahora mismo –se tomó su tiempo para desabotonarle la camisa.

–¿Eso significa que me perdonas? –su voz sonó risueña.

–Podría ser –lo empujó con gentileza hacia la cama y comenzó a plantarle besos en el pecho–. Siempre y cuando te hayas preparado para disculparte.

–Dedicaré el resto de mi vida a ello –la atrajo hacia su boca, llena de promesas cálidas mientras la besaba. Sus manos, seguras y hábiles, comenzaron a liberarla de la ropa–. Bienvenida de vuelta, Katie –susurró al unirse en una dulce y tierna entrega–. Mi esposa... mi único amor. Bienvenida.

Epílogo

JAMÁS perdonaré a Louie –dijo Kate furiosa mientras luchaba con la cremallera del vestido de lana–. ¿No podría haber esperado unas semanas más para casarse?

–Deja que yo lo haga –Ryan se acercó, subió la cremallera y se inclinó para besarle el cuello–. Además, ¿algo nos habría detenido a nosotros?

–Supongo que no –Kate se pasó las manos por el vientre abultado–. Mírame. Si tuviera una cesta, sería la viva imagen de un globo aerostático. A Louie y a Peter les estaría bien que me pusiera a parir en medio de la ceremonia.

–Estás hermosa –sonriendo, Ryan apoyó el mentón en su hombro–. Y en cuanto acabe la boda –continuó con firmeza–, vas a tomártelo con más calma. Organizar una mudanza y la recepción de tu mejor amiga no es lo que debe hacer una mujer embarazada.

–Me siento bien –aseguró–. Y en cuanto vi la casa quise ocuparla de inmediato. Además, no levanté nada pesado. Y tuve que ocuparme de la recepción –prosiguió–. Después de todo, Ocasiones Especiales los unió –o al menos le brindó a Peter la excusa que necesitaba para volver a ver a Louie, pensó con satisfacción–. El destino a veces puede ser fantástico –musitó–. ¿Has visto alguna vez a dos personas tan felices o tan hechas la una para la otra?

–Oh, se me ocurre otra pareja –bajaron juntos de la mano por las escaleras de madera.

Algy estaba en su casita en el vestíbulo, con algo blanco y de encaje colgando de su boca.

–Oh, Dios, ya ha capturado otro de mis sujetadores. ¿Por qué lo hace?

–Odia que nos vayamos y lo dejemos, así que busca algo con lo que recordarnos.

–Pues no puede venir con nosotros. No después del modo en que se comportó durante la fiesta de bautizo de Sally. Se comió la mitad de la tarta de mi nuevo sobrino antes de que pudiéramos impedírselo –dijo Kate con severidad–. Y, para variar, ¿por qué no busca cosas tuyas? –se agachó y acarició la frente arrugada del perro–. A este paso, no me quedará ropa interior.

–Es un perro como a mí me gusta –murmuró Ryan, esquivando el golpe que ella le lanzó–. Espera aquí, cariño, mientras traigo el coche. Hace demasiado frío para que estés fuera.

Sola, Kate entró en el salón y se quedó junto a la ventana. Faltaba poco para la Navidad, la primera que celebrarían en su nueva casa, y luego, a comienzos del nuevo año, nacería el bebé.

Kate apoyó una mano protectora en su vientre y sintió al bebé moverse. «Este era el nuevo amor de los dos», pensó con satisfacción, y fue a reunirse con su marido.

AMOR EN EXCLUSIVA

Valerie Parv

HARLEQUIN®

Capítulo 1

BETHANY Dale se había quedado parada frente a la casa de Nicholas Frakes al oír el inesperado llanto de un niño. Había leído un artículo sobre el tórrido romance que Nicholas mantenía con una modelo, pero no mencionaba niño alguno. Sin embargo, el sonido que llegaba desde la casa era inconfundible.

A pesar de que la puerta estaba cerrada, los gritos del niño llegaban claramentae al porche. Quizá Nicholas Frakes tenía invitados en su casa. Invitados con un niño, pensaba, con un nudo en la garganta. Tenía que controlarse antes de llamar al timbre. El mundo estaba lleno de niños. Que ella no pudiera tenerlos no era razón para que se viniera abajo cada vez que oía llorar a uno.

Ni siquiera la terapia la había ayudado. Y trabajar unas horas al día en un albergue para niños sin hogar en Melbourne sólo aumentaba la sensación de pérdida.

Como distracción, había decidido volcarse en la revista sobre casas de muñecas y miniaturas que editaba y que tenía un nombre irónico: *La Casita Del Niño*. Por supuesto, le había puesto aquel nombre antes de enterarse de que no podría tenerlos, pero era increíble como desde entonces todo en su vida parecía girar alrededor de ese tema.

Respirando profundamente, Bethany se decía a sí misma que no iba a dejarse abatir. Sus propios padres eran un ejemplo de que había otras formas de paternidad igualmente gratificantes. La familia Dale estaba formada por tres hijos adoptados, además de Bethany, su hermano mayor Sam y la pequeña Joanie. Y los seis se querían y se pegaban igual que si hubieran sido hermanos de sangre.

Podría soportar aquella entrevista aunque hubiera un niño presente, se repetía a sí misma. Sobre todo, si eso servía para persuadir a Nicholas Frakes de que la dejase escribir un artículo sobre la casa de muñecas de su familia. Cuando a él se le hubiera pasado el enfado con ella por esconder la auténtica intención de la entrevista. No había mentido, simplemente no se lo había contado todo.

Le hubiera gustado saber algo más sobre su protagonista, pero él había aceptado la entrevista por fax un par de días antes y no había tenido tiempo de investigar.

Estaba segura de que él se hubiera negado si le hubiera contado la auténtica razón por la que quería entrevistarlo. Había sido el propio Nicholas quien había retirado la famosa casa de muñecas de su familia de la exhibición, después de la muerte de su padre. Nadie sabía por qué; él se había negado a contestar las preguntas de los periodistas al respecto. Sería una suerte conseguir que contestase a sus preguntas y la dejase fotografiar el famoso tesoro familiar.

Bethany dejó escapar otro suspiro. Su socio había abandonado la revista un mes antes y, si no conseguía el artículo, no podría seguir editándola. Pero no podía seguir pensando aquellas cosas, porque tenía que concentrarse y mostrarse segura de sí misma, se decía. Y no habría historia si no conseguía convencer al formidable Nicholas Frakes.

Estirando al máximo su metro setenta y cinco con tacones, apretó el timbre, decidida. En ese momento, los gritos del niño parecieron aumentar de volumen y el corazón de Bethany dio un vuelco de tristeza. ¿Por qué no hacían algo para que dejase de llorar?, se preguntaba. A pesar de su decisión de mantenerse fría, hubiera deseado abrazar a aquel bebé y acunarlo hasta que dejara de llorar.

Después de llamar tres veces más sin conseguir respuesta, decidió buscar otra entrada. La casa era una mezcla deliciosa de estilos clásico y moderno. Estaba hecha de ladrillo y madera, con ventanas salientes y puertas con cristales emplomados, que se abrían al porche que rodeaba la casa. Una de ellas estaba abierta y Bethany se dirigió hacia allí.

–Hola. ¿Hay alguien en casa? –llamó. Pero no hubo respuesta. Cuando entró en la habitación, se dio cuenta de que era un dormitorio masculino muy desordenado. La cama de nogal, con sábanas de seda negra, parecía no haber sido hecha en mucho tiempo y el edredón estaba tirado en el suelo, como si su ocupante hubiera tenido que saltar de la cama a toda prisa.

La seda negra de las sábanas hizo sonreír a Bethany. Desde luego, era un hombre soltero. Ninguna mujer elegiría un material tan delicado de lavar para su cama. Había ropa tirada por todas partes y Bethany se puso colorada al ver ropa interior femenina sobre una cómoda. Evidentemente, a Nicholas Frakes le gustaba la ropa interior pequeña y casi transparente. Cuando vio su imagen en el espejo que había frente a la cama, se quedó parada. Su traje de chaqueta color verde parecía fuera de lugar en aquel sitio. Una combinación de seda negra hubiera sido más apropiada, pensaba. No, negra no, decidió. Demasiado contraste con su complexión de porcelana. De color coral sería mejor. Y debería soltar su pelo de color miel para que los rizos cayeran sobre sus hombros. Sus ojos de color azul grisáceo distraerían la atención de las pecas que cubrían su piel. De ese modo, haría juego con aquella habitación... Horrorizada, Bethany se dio cuenta hacia dónde la estaban llevando aquellos pensamientos. No tenía ningún derecho a entrar allí y mucho menos a pensar de aquella forma sobre Nicholas Frakes. Apartando los ojos de la cama, salió apresuradamente de la habitación y, orientándose por el llanto del niño, llegó hasta la cocina, que era muy grande, con una chimenea de piedra y el techo artesonado. En medio de la habitación había una mesa de nogal y, sentada sobre una sillita, una niña con la carita roja de tanto llorar. A su lado, un hombre con cara angustiada intentaba darle de comer. Bethany se quedó petrificada. Había visto fotografías de Nicholas Frakes, pero no la habían preparado para el aspecto real del hombre. Medía más de un metro ochenta y sólo llevaba puestos unos pantalones que se ajustaban magníficamente a sus piernas, separadas en aquel momento. No llevaba camisa y su bronceado torso brillaba bajo la luz del sol que entraba por una de las ventanas; una imagen que la dejó sin aliento durante un segundo. En ese momento, se dio cuenta de que una mancha verde estropeaba la visión de aquel perfecto torso masculino. Tenía el aspecto de un atleta, pero al fin y al cabo era humano. Ni siquiera un hombre tan fuerte podía conseguir que la niña se comiera las espinacas, pensaba Bethany, sonriendo interiormente.

–¿Nicholas Frakes? –preguntó, después de tomar aire.

–¡Cielo Santo! –exclamó el hombre, dando un salto–. ¿De dónde sale usted?

–Soy Bethany Dale. Teníamos una cita, ¿recuerda? He llamado a la puerta varias veces, pero no ha abierto nadie.

–¿Por dónde ha entrado?

–La puerta de su habitación estaba abierta –confesó ella–. Perdone si molesto.

El hombre se pasó una mano por el pelo, negro y tan corto como si estuviera en el ejército. La textura de aquel pelo la intrigaba. ¿Sería suave o áspero al tacto?... De nuevo aquellos absurdos pensamientos. ¿Qué tenía aquel Nicholas Frakes que la hacía sentirse casi como una *voyeur*?, se preguntaba.

–Da igual –dijo el hombre–. La señorita no quiere comer –añadió, haciendo un gesto hacia la niña que golpeaba la silla con una cucharita de plástico–. Bueno, espero que me avise cuando tenga hambre.

–¿Está usted solo con...

–Maree –la interrumpió él–. Sí, estoy solo con mi ruidosa amiguita.

–¿Quiere que le ayude?

Él la miraba con tal expresión de agradecimiento mientras le daba la cuchara que el corazón de Bethany se encogió. El pobre hombre estaba agotado y, bajo sus ojos, de un gris acerado, había marcas oscuras.

–Si consigue que coma, le estaré eternamente agradecido.

–Lo intentaré –dijo ella, tomando una cucharada de espinacas y dándole la cuchara a la niña. Como había imaginado, la cría dejó de llorar un momento, confundida y después, sorbiendo las lágrimas, estiró la manita y tomó la cuchara torpemente.

–Ah, ah, ah –sonreía la niña mirando la cuchara..

–Eso es, hazlo tú misma. Ya eres una mujercita, ¿verdad? –dijo Bethany, ayudándola a meterse la cuchara en la boca.

–¿No me diga que era eso lo que estaba intentando decirme? –preguntó Nicholas, asombrado–. ¿Lo que quería era comer sola?

–Sí –contestó Bethany–. ¿Qué tiempo tiene, nueve, diez meses?

–Diez –contestó él.

–A esa edad, casi todos los niños quieren comer solos –sonrió Bethany–. Y lo mejor es dejar que lo intenten, aunque se les caiga la mitad de la comida.

Nicholas sonrió, agradecido por el consejo. Tras la reciente experiencia con su prometido, Alexander Kouros, que la había dejado en cuanto le había dicho que no podría tener hijos, le gustaba que un hombre la mirase como si fuera especial. Pero aquello cambiaría en cuanto se enterase de la razón por la que estaba allí, pensaba Bethany, intentando ganar tiempo.

–Se le da muy bien –dijo él, con aquella voz de barítono–. Nunca se me hubiera ocurrido pensar que los gritos eran una declaración de independencia.

–Yo también tuve que aprenderlo –explicó ella. Además de trabajar con niños en el albergue, había cuidado de sus tres hermanos adoptivos. Por ello, saber que nunca podría hacer uso de esa experiencia con sus propios hijos era aún más doloroso. Cuando Bethany sintió que sus ojos se humedecían, parpadeó con fuerza. Se había prometido a sí misma no dejarse vencer por aquello–. ¿Tiene algún plátano maduro?

–¿Qué le parece éste? –preguntó él, tomando uno del frutero que había sobre la nevera.

–Bien –contestó Bethany apretándolo con los dedos para comprobar que era suficientemente blando. Después, lo peló y cortó unos pedacitos, que dejó en el plato de la niña–. Muy bien, bonita. Vamos a ver si te gusta.

Con otro balbuceo, la niña tomó un pedazo de plátano, lo miró durante unos segundos como para averiguar qué era y después se lo metió en la boca tan contenta.

Bethany, que se había colocado de rodillas frente a la niña, se levantó sonriendo.

–Lo mejor será que la dejemos comiendo su plátano a solas.

–¿Y si se atraganta?

–Nos quedaremos en la cocina. Pero es mejor que no la prestemos atención, para que ella vea que lo está haciendo sola. En cuanto empiece a jugar con la comida, bájela de la silla. Así tendrá hambre la próxima vez.

–¿Seguro que es usted real? ¿No será un hada madrina? –preguntó él con un alegre brillo en lo ojos grises. En aquel momento, Bethany podía imaginarlo de niño; un niño simpático, travieso e irresistiblemente atractivo. Todas aquellas cualidades seguían allí, pero dentro de un cuerpo tan innegablemente masculino que Bethany sintió una involuntaria atracción hacia el hombre. La reacción era tan inapropiada como inesperada, pero Bethany se decía a sí misma que era normal. Alexander la había dejado y ella estaba frente a uno de los hombres más atractivos que había conocido nunca.

–Todos los niños pasan por las mismas fases –dijo ella, apartando la mirada–. Están aprendiendo a usar sus cuerpos y quieren controlarlo todo. Lo primero que quieren controlar es a sus padres, por supuesto. Estoy segura de que Maree ha hecho levantarse a su madre por la noche más de una vez. Es una especie de prueba para ver si pueden hacer que sus padres respondan cuando ellos quieren.

En ese momento hubo un largo silencio, sólo roto por el ruido de la niña comiendo el plátano.

–Me temo que Maree no puede permitirse ese lujo. Sus padres murieron hace siete meses y yo soy lo único que tiene.

La mirada de Bethany fue de la niña al hombre que estaba tras ella. Sus facciones parecían estar esculpidas, pero había un brillo en sus ojos que le llegaba al corazón.

–Lo siento. No lo sabía.

–¿No ha leído el artículo del periódico?

Bethany negó con la cabeza y él la miró sorprendido, como si no entendiera entonces por qué estaba allí.

–Si lo prefiere, puedo volver otro día –dijo ella, tomando su bolso.

–No se vaya –dijo Nicholas, tomándola del brazo–. Sigue siendo algo muy doloroso, pero he tenido tiempo para acostumbrarme.

El roce de la mano del hombre enviaba escalofríos por su piel y tuvo que apartar la mirada para que no se diera cuenta.

–¿Fue un accidente?

–Un accidente de coche –asintió él–. Maree sobrevivió de milagro. Ni siquiera tenía un rasguño.

–Qué horror –exclamó Bethany, sin poder disimular su emoción–. ¿Su sobrina va a vivir con usted?

–Yo soy el único pariente que tiene en el mundo y pienso cuidarla lo mejor posible.

La niña, con los carrillos llenos de plátano era la viva imagen de la felicidad. Además de alguna mancha verde en el babero, estaba muy limpia, con un vestido rosa adornado con ositos y un lacito rosa en el pelo.

Estaba en mejores condiciones que su tío, desde luego, pensaba Bethany. Nicholas parecía haberse puesto lo primero que había encontrado aquella mañana y no había tenido tiempo de afeitarse. La sombra de la barba marcaba su mandíbula cuadrada, dándole un aspecto de pirata tan atractivo que Bethany tenía que disimular su admiración. Una admiración mezclada con el deseo de ayudar a aquel hombre que parecía no saber qué hacer con una niña de diez meses.

Bethany había ido allí con un solo propósito: convencerlo de que la dejara escribir un artículo sobre la casa de muñecas de su familia. Pero, ¿cómo podía decirle aquello cuando él acababa de descubrirle una tragedia personal de tal magnitud?

–Creo que debería marcharme –insistió ella–. Podemos hacer la entrevista en otro momento.

–Maldita sea, no tiene por qué sentir pena por mí –exclamó él de repente, dejándola helada–. Me las arreglaré, no se preocupe. Sólo tengo que acostumbrarme –añadió, intentando controlar su temperamento–. Cuando usted ha entrado aquí, portándose con naturalidad, ha sido como un soplo de aire fresco. Al menos quédese para tomar una taza de café. Usted misma ha dicho que lo mejor es hacer otras cosas para que Maree se sienta independiente.

–De acuerdo, una taza de café –sonrió Bethany.

–¿Cómo le gusta?

–Solo y con una cucharada de azúcar –contestó ella, sentándose en un taburete frente a la encimera, que estaba llena de platos y vasos de la noche anterior. Bethany sonrió, imaginando que él ni siquiera habría desayunado.

–¿Qué? –preguntó él al verla sonreír.

–No me extraña que esté tan cansado si no ha desayunado.

–No tengo tiempo de nada últimamente.

–Si quiere, puedo prepararle una tortilla –dijo ella, sorprendiéndose a sí misma.

–Pues..., si no le importa, me encantaría. Mientras tanto, yo limpiaré un poco esto –dijo él. Bethany empezó a preparar el desayuno con aprensión. No sabía por qué se estaba tomando tanto interés y no debía engañarse a sí misma sintiendo compasión por aquel hombre. O quizá simplemente estaba retrasando el momento de decirle la verdadera razón de su visita. Pero, fuera cual fuera la razón, era demasiado tarde. Mientras batía los huevos, Nicholas colocaba los platos en el lavavajillas, echando un vistazo de vez en cuando sobre la pequeña–. Me parece que no estaba equivocado –sonrió él, cuando unos minutos más tarde Bethany puso sobre la mesa una tortilla de aspecto excelente–. Si además de saber cómo tratar a los niños sabe cocinar, es usted un hada madrina.

–Gracias.

Un perverso orgullo impidió a Bethany explicar que lo único que sabía cocinar eran tortillas. Su hermano Sam la llamaba «la maga de la cocina» porque nadie sabía nunca lo que iba a salir de sus ensayos culinarios y, casi siempre, lo que salía era algo quemado. Para desafiar las bromas de sus hermanos, se había especializado en tortillas y podía hacerlas de todas clases. Servida con una ensalada, su tortilla de queso podría pasar cualquier prueba.

Y estaba pasándola en aquel momento, mientras Nicholas se comía con apetito los cuatro huevos, sin miedo aparente al colesterol.

—Está buenísima —dijo el hombre, entre bocado y bocado.

Bethany se colocó un paño sobre el hombro y tomó a Maree en brazos para hacer que eructara. Siete eructitos más tarde, puso a la niña en brazos de su tío.

—Los dos tienen aspecto de haber comido bien —sonrió.

—Yo diría que hemos tenido suerte de encontrar un hada madrina, ¿verdad, Maree? —preguntó él, jugando con la cría sobre sus rodillas. La niña reía encantada—. ¿Lo ve? La experta en hadas madrinas está de acuerdo conmigo.

Bethany sintió en ese momento una punzada en el corazón. La imagen de aquel hombre apretando a la niña contra su fuerte pecho desnudo era demasiado dolorosa para ella y tuvo que darse la vuelta.

—Si no le importa, voy a hacer un poco más de café.

El simple acto de preparar el café y buscar las tazas la tranquilizó y, cuando se volvía para preguntarle a Nicholas cómo quería el suyo, sus manos habían dejado de temblar.

Pero no debería haberse preocupado, porque en los minutos que había tardado en hacerlo, los dos, la niña y el hombre que la sujetaba contra su pecho se habían quedado dormidos.

Capítulo 2

V AYA –susurró Bethany, apoyándose sobre
la encimera. Era una imagen tan encantadora que sus ojos se llenaron de lágrimas.

Pero la niña no era lo único que la emocionaba,
tenía que admitir mientras tomaba su café. Nicholas Frakes también ejercía un extraño efecto sobre
sus emociones. Cuando había planeado aquella entrevista, no se había imaginado que el hombre al
que iba a entrevistar exudaría tal magnetismo animal. Era tan... tan masculino.

En la superficie era todo lo que ella odiaba en
un hombre: físicamente imponente, lo que la hacía
sentir pequeña y vulnerable; desordenado, cuando
a ella le gustaba tener cada cosa en su sitio. Y tan
atractivo que podía ser candidato al título de Mis-
ter Universo.

Aunque era cierto que Nicholas tenía algunas
cualidades que lo redimían. No todos los hombres
habrían aceptado la responsabilidad de adoptar a
una niña tan pequeña ni se habrían empeñado en
cuidarla personalmente. Pero seguía siendo demasiado grande y demasiado desordenado para su
gusto y estar a su lado le hacía desear hacer cosas
absurdas como cocinar y cuidar de su hija.

¿Qué le estaba pasando?, se preguntaba, sacudiendo la cabeza. Haberse encontrado con Nicholas Frakes cuidando de una niña era algo que no esperaba y había distorsionado su percepción de las cosas. Y también le estaba haciendo olvidar que él había aceptado la entrevista porque no sabía cuál era el tema en el que ella estaba interesada. Nicholas creía que *La Casita Del Niño* era una revista sobre niños y, cuando se enterase que, en realidad, era para fanáticos de las casas de muñecas, probablemente la echaría de su casa con cajas destempladas.

Aquel pensamiento fue suficiente para que volviera a recuperar la cordura. Hacerle la entrevista a Nicholas sería imposible hasta que él se despertara, así que podría echar una mano mientras tanto. Incluso podría beneficiarla si él decidía echarla de su casa, pensaba mientras se disponía a fregar los platos. Cuando buscaba el cubo de la basura se encontró con dos cestas llenas de ropa sucia y suspiró.

Afortunadamente, no tuvo problema para encontrar el detergente y poner la lavadora. Pero tendría que ponerla tres veces, pensaba mirando en las cestas. ¿Aquel hombre tan famoso no tenía a nadie que limpiara la casa por él?, se preguntaba. ¿O estaría esperando que lo hiciera la modelo con la que vivía un *tórrido* romance?

Quizá ella era quien lo había convencido de que adoptase a Maree. Quizá le estaba dando a él todo el crédito, pero podría haber sido idea de su novia.

Como para probar su teoría, Bethany encontró

una blusa de seda en el fondo de una de las cestas. Tenía que ser de la modelo, que debía estar haciendo una sesión fotográfica en alguna parte, pensaba Bethany, maldiciendo en voz baja por haber sido tan ingenua. Si hubiera usado la cabeza desde el principio, se habría dado cuenta de que un hombre no se acuesta entre sábanas de seda negra si va a dormir solo, reflexionaba mientras cerraba la lavadora de un portazo.

Desgraciadamente, el portazo despertó a la niña y, un segundo más tarde, a Nicholas, que miró alrededor como si estuviera desorientado.

–Debería haberme despertado –sonrió, dejando a la niña sobre su sillita–. Soy yo quien tendría que estar haciendo la colada –añadió, acercándose a ella.

Bethany empezaba a sentir una especie de calorcito por dentro cada vez que el hombre sonreía, mostrando unos dientes perfectos. La diferencia de altura hacía que sus ojos estuvieran a la altura de la boca de Nicholas. Una boca muy deseable... Aquello tenía que terminar de una vez, pensaba Bethany irritada. Nicholas estaba comprometido y ella tenía la evidencia en sus propias manos.

–No la he metido en la lavadora porque es muy delicada –dijo, señalando la blusa–. Me imagino que su novia querrá llevarla a la lavandería.

–No se preocupe por eso –replicó Nicholas, con expresión sombría–. A Lana no le gustaba la vida en el campo y se ha vuelto a Melbourne. No creo que vuelva.

–Ah... lo siento –susurró Bethany, volviendo a

colocar la blusa en la cesta. Había dicho que lo sentía, pero no era cierto. Le alegraba que aquella misteriosa Lana hubiera decidido no volver.

–Son cosas que pasan –dijo él, intentando quitarle importancia.

–Claro –asintió Bethany. A él le importaba más de lo que quería admitir, de eso estaba segura. Pero no era asunto suyo en absoluto. Había ido allí para conseguir una entrevista, no para involucrarse en su vida privada.

–Yo terminará de hacer la colada –dijo él, después de observarla en silencio durante un rato–. Ya ha hecho más que suficiente. No sé cómo puedo pagárselo.

–Será suficiente con la entrevista –dijo ella por fin, sabiendo que aquél era el momento de contarle la verdad. Pero no se atrevía a hacerlo. Si él accedía a hablar sobre la casa de muñecas, tendría que ser por propia voluntad, no para devolverle un favor.

–¿Siempre es tan servicial con la gente a la que entrevista? –preguntó Nicholas–. Si lo hubiera sabido, le hubiera pedido que viniera antes y me arreglara toda la casa –sonrió, burlón.

–No, gracias. Tardaría años –contestó ella, recordando el estado en el que se había encontrado su dormitorio.

–Vamos, no es para tanto –rió él–. Bueno, quizá sí, pero tengo que trabajar, además de cuidar de Maree. Usted, como editora de una revista de niños, sabrá mejor que nadie lo exigentes que son los críos.

–Mi revista se llama *La Casita Del Niño*, pero no es una revista sobre niños, señor Frakes.

–¿No?

–No –contestó ella. Tendría que decirle la verdad en algún momento y aquel era tan bueno como cualquier otro–. *La Casita Del Niño* es una revista especializada en miniaturas y... casas de muñecas antiguas.

–¿Casas de muñecas? –preguntó él después de unos segundos. Su expresión se había nublado y Bethany se daba cuenta de que el hombre estaba apretando los puños.

–Antiguamente se llamaban «casitas de los niños» y los carpinteros las usaban para mostrar sus trabajos, mucho antes de que se convirtieran en un juguete.

–Entonces, el artículo no es sobre Maree ni sobre la historia de mi familia, ¿es eso lo que quiere decir?

–En cierto modo, sí es sobre su familia. Quiero escribir un artículo sobre la casa de muñecas de la familia Frakes.

–Si sabe que existe la casa de muñecas de mi familia, también debe saber que no estoy interesado en mostrarla al público. Así que su plan para entrar en mi casa haciéndose pasar por lo que no es, no le ha valido para nada –dijo él, irritado.

–Un momento, señor Frakes. Yo le escribí una carta pidiendo una entrevista, pero no mentí en absoluto. Ha sido usted el que ha creído que yo era otra persona.

–De acuerdo. Pues ahora que está aquí, permítame que le diga que no tengo ningún interés en hablar sobre esa casa.

–Podría escribir el artículo sin mencionar su nombre –insistió ella.

–¿Y cómo la llamaría? ¿La casa de muñecas de la familia X?

No podía hacer eso y los dos lo sabían. De modo, que la única salida era retirarse graciosamente. Pero le hubiera gustado poder discutir con él, explicarle lo que quería hacer. No entendía por qué estaba dispuesto a hablar con un periodista sobre su sobrina, pero no sobre una antigüedad que pertenecía a su familia desde varias generaciones atrás.

Y tampoco entendía por qué a ella le importaba tanto. No sólo el artículo, sin el cual su revista tenía pocas posibilidades de sobrevivir, sino la opinión de aquel hombre sobre ella. Le gustaba su forma de mirarla, incluso el entusiasmo que había demostrado por una simple tortilla. Y le gustaba verlo con Maree en sus brazos, pero todo aquello tenía que terminar.

–Gracias por recibirme –dijo por fin–. Y no se moleste en acompañarme –añadió, tomando su bolso. Aquella vez, él no intentó detenerla y Bethany se alegró de encontrar rápidamente la puerta de salida. Cuando estaba acercándose a su coche, aparcado bajo la sombra de un árbol, oyó que la niña empezaba a llorar de nuevo y, aunque su corazón le decía que parase, se obligó a sí misma a seguir caminando.

–Mujeres. No se puede confiar en ellas –decía Nicholas irritado, dándole una patada a un armario–. Seguramente ha creído que después de hacer la colada yo le diría que sí a todo. Pero la hemos tratado como se merecía, ¿verdad, Maree? –preguntó a la niña, que jugaba tranquilamente en su silla. Al oír su nombre, Maree levantó la cabeza, pero al ver la furiosa expresión de su tío empezó a llorar–. Ven aquí, preciosa –dijo, tomándola en brazos–. No estoy enfadado contigo, estoy enfadado con Bethany.

Al oír su nombre, los ojos llenos de lágrimas de la niña se secaron como por arte de magia.

–Ah, ah....

–¿Bethany? ¿Qué quieres decirme, que te gusta Bethany? –preguntó. Cada vez que decía el nombre, la niña balbuceaba alegremente–. Créeme, estamos mejor sin ella. Sólo porque sea muy atractiva... –empezó a decir. Pero se interrumpió a sí mismo, sorprendido. Desde luego, tenía que reconocer que era muy atractiva. No recordaba haber visto antes un cabello tan dorado, como si siempre le estuviera dando la luz del sol. Y también tenía unos ojos bonitos, como el cielo en una tarde de verano. Su voz era inusual, pensaba. Musical, con un registro muy bajo. Y él era un experto en sonidos–. Esa mujer es una manipuladora. Sólo ha sido amable contigo para conseguir la entrevista. Seguro que ni siquiera le gustan los niños –añadió. Pero sabía que no era cierto. Sólo tenía que comparar el comportamiento de Lana con el de ella. Lana cuidaba de la niña a regañadientes y ni siquiera se molestaba en disimularlo. Sin embargo, Bethany no había mostrado ninguna aversión, todo lo contrario. ¿Por qué no le había dicho lo que quería desde el principio?, se preguntaba. Pero sabía bien la respuesta. Si le hubiera dicho en el fax que quería un artículo sobre la casa de muñecas, él ni siquiera se habría molestado en contestar. No quería explicarle cuál era la razón por la que no quería hablar sobre ese asunto, pero tampoco tenía derecho a tratar a Bethany como lo había hecho–. Tienes razón, Maree –le dijo a la niña–. Lo que tenemos que hacer es llamarla para pedirle perdón. Es lo menos que podemos hacer antes de que se marche –añadió. En ese momento, la niña empezó a tirarle del pelo–. De acuerdo, de acuerdo, soy yo el que tiene que pedirle perdón.

Bethany estaba buscando las llaves de su coche cuando oyó las pisadas en el suelo de gravilla. Nicholas se dirigía hacia ella con la niña en brazos y la cara de Maree se iluminó al verla.

–¿Quiere seguir insultándome? –preguntó, desafiante.

–No –contestó el hombre, después de aclararse la garganta–. Sólo quería pedirle disculpas por haberme portado como un idiota.

Aquello era tan inesperado que Bethany se quedó sin palabras por un momento.

–En realidad, usted tiene parte de razón –dijo ella–. Debería haberle dicho qué clase de artículo pensaba escribir.

–Sí, pero eso no justifica mi comportamiento. Estoy agotado, discúlpeme.

–Lo comprendo –sonrió Bethany sin darse cuenta–. Los pequeños necesitan mucha atención.

–Si esa revista suya no es sobre niños, ¿cómo es que sabe tanto sobre ellos?

–Tengo cinco hermanos, cuatro de ellos más pequeños que yo, así que tengo mucha práctica. Además, trabajo por las mañanas en un albergue para niños sin hogar en Melbourne.

Él asintió, como si hubiera esperado aquella respuesta.

–¿Sabes una cosa, Maree? –le dijo a la niña, acariciando sus mejillas–. Eres muy lista –añadió. La niña empezó a balbucear algo, que él pretendía escuchar con mucha atención–. Buena idea. Es justo lo que yo estaba pensando.

–¿Cómo? –preguntó Bethany, divertida.

–Ah, perdón. Estaba consultándole una cosa a mi niña. ¿Sabe que es usted la primera persona, además de mí, que parece gustarle a Maree después de la muerte de sus padres?

Como para darle la razón, la niña estiró sus bracitos hacia ella.

–Ah, ah, ah...

Bethany reaccionó instintivamente, dejando el bolso sobre el capó del coche y alargando los brazos para tomar a Maree en ellos.

–¿Ve lo que quiero decir?

Maree olía a leche y a polvos de talco y Bethany enterró la cara en su cuello para darle un beso. La niña era preciosa, con aquella carita sonriente y regordeta. ¿Cómo podía resistirse?

–Será mejor que me vaya –dijo por fin, devolviéndosela a Nicholas con desgana–. Y gracias por disculparse –añadió, acariciando la carita de la niña–. Adiós, preciosa. Encantada de conocerte.

–No tiene que marcharse –dijo Nicholas de repente.

¿Iba a concederle la entrevista?, se preguntaba, emocionada.

–¿No? –preguntó, sin aliento. ¿Dónde estaba la inteligente y despierta Bethany Dale? ¿Por qué aquel hombre hacía que se quedara sin palabras?, se preguntaba.

–Si sigue queriendo ese artículo, quizá podamos llegar a un acuerdo.

Bethany lo miró con desconfianza. ¿Estaría insinuando que la dejaría escribir el artículo a cambio de que se acostara con él?

–No necesito ese artículo tan desesperadamente.

Él la miró, primero sorprendido y después irritado.

–No estoy hablando de sexo, señorita Dale. Que Lana se haya ido no significa que yo esté desesperado.

–Vaya, muchas gracias –replicó élla, molesta por el comentario.

–No he querido decir que tuviera que estar desesperado para que me gustara usted –corrigió él–. Es usted muy guapa. Lo que quería decir era que me gustaría que se quedase para ayudarme a cuidar de Maree.

La niña volvió a mirar a Nicholas al oír su nombre y Bethany se sintió completamente ridícula. Había creído que él se estaba insinuando y lo único en lo que estaba interesado era en sus habilidades con los niños.

—¿Como niñera? —preguntó, perpleja.

—A cambio, le enseñaré la casa de muñecas y podrá escribir su artículo —contestó él—. ¿Qué creía que iba a proponerle?

—No sé lo que estaba pensando —intentó explicar ella—. Hace un minuto me ha echado de su casa y ahora me propone trabajar para usted como niñera.

—Así es. Quiero que viva con nosotros.

—Es usted un hombre sorprendente —intentó disculparse ella, sintiéndose como una cría.

—¿Le interesa el trabajo?

—No estoy segura —contestó ella. No estaba segura de poder vivir bajo el mismo techo con un hombre que la atraía de forma tan sorprendente. Compartir casa con él sería como jugar con fuego y ella se había quemado anteriormente con Alexander. No necesitaba otro rechazo. No quería darse cuenta de que, mientras ella se sentía afectada por su presencia, él no lo estaba en absoluto.

—Podría tener una habitación con estudio y cocina. Pero tendría que vivir aquí porque la casa está demasiado lejos de Melbourne y yo tengo mucho trabajo. Por supuesto, además de dejarla escribir el artículo, estoy dispuesto a pagar por sus servicios —explicó él, antes de añadir una cantidad que a Bethany le pareció suculenta. El artículo sobre la antigua y misteriosa casa de muñecas de la familia Frakes sería la salvación de su revista y con el dinero que él ofrecía podría cubrir parte de sus deudas, calibraba Bethany—. Sólo será hasta que encuentre a otra persona –añadió él–. Supongo que al albergue de Melbourne no le importará prestármela unos días.

–Ese no es el problema.

–Entonces, ¿cuál es?

El problema era él, se decía a sí misma. Ningún hombre la había excitado tanto como lo hacía Nicholas Frakes. Desde que lo había visto por primera vez, había sentido una atracción irresistible. Si aceptaba trabajar para él y vivir bajo el mismo techo podrían ocurrir dos cosas: que la atracción se hiciera insoportable o que la familiaridad destrozara el hechizo. Sólo había una forma de enterarse.

–Su oferta es atractiva, pero hay que aclarar dos cosas desde el principio. Me encantará cuidar de Maree, pero no soy una criada.

–Muy bien –dijo él–. Contrataré a alguien para que limpie la casa.

–Y no sé cocinar –confesó.

–Pero su tortilla era deliciosa...

–Es lo único que sé hacer, así que si eso me descalifica para el puesto...

–No, no –dijo él rápidamente–. Maree es mi primera preocupación y usted le gusta. Eso es lo más importante. En realidad, yo no soy mal cocinero, así que alternaremos sus tortillas y mis cenas. ¿De acuerdo?

Seguramente, lo que iba a hacer era una locura, pero Bethany se encontró a sí misma sonriendo.

–De acuerdo.

Capítulo 3

SAM Dale estaba guardando la última caja en el maletero del coche de Bethany.

–¿Estás segura de que no quieres llevarte más cosas? Puedo meter la nevera si quieres...

–Muy gracioso –sonrió Bethany–. En realidad, sólo estaré en Yarrawong hasta que Nicholas Frakes encuentre a alguien que pueda cuidar de Maree de forma permanente.

–Ya –sonrió su hermano, irónico.

–No sé por qué me miras así –dijo ella, poniéndose colorada–. El señor Frakes no está interesado en mí en absoluto; sólo está interesado en su sobrina –añadió. ¿Cómo podía estar interesado en ella después de haber mantenido una relación con la famosa modelo Lana Sinden?

–¿Seguro que no está interesado en ti? –preguntó su hermano–. Perdona que sea tan desconfiado pero, aunque seas mi hermana pequeña, tengo que admitir que eres una chica muy guapa. No me gusta la idea de que te vayas a vivir con un extraño.

–Voy a trabajar para él, no a vivir con él –insistió Bethany–. Relájate, hermanito –añadió, pasándole un brazo por los hombros–. Tengo veinticinco años y sé lo que me hago.

–Exactamente, ¿a qué se dedica ese Nicholas Frakes?

–Ese Nicholas Frakes es ingeniero y trabaja para el gobierno. Creo que su trabajo tiene algo que ver con medidas para evitar el espionaje industrial y militar.

–Entonces, ¿las paredes oyen de verdad? –rió su hermano.

–Eso parece.

–Quizá debería ir a espiar a la casa de tu nuevo jefe, por si acaso.

–Ve a lavarte la boca con jabón –rió ella, tirándole una toalla.

–Te gusta ese ingeniero, ¿verdad?

–Claro que no –negó ella. Pero la negativa sonaba falsa incluso a sus propios oídos.

–Entonces, ¿por qué vas a trabajar para él? Si es sólo por dinero, podrías trabajar en cualquier otro sitio.

Bethany se había hecho aquella misma pregunta cientos de veces desde que había aceptado la oferta de Nicholas. En realidad, necesitaba el dinero, pero no pensaba decírselo a Sam porque él insistiría en prestárselo y no quería que eso ocurriera. Su hermano acababa de abrir un negocio de muebles artesanos y necesitaba todo su dinero para sacarlo a flote.

Pero tenía razón. No era sólo el dinero lo que la había hecho aceptar la proposición. El salario que le había ofrecido resolvería alguno de sus problemas y poder escribir un artículo sobre la casa de muñecas de su familia sería importante para la revista, pero seguía sin saber por qué había aceptado el trabajo sin darse un segundo para reflexionar.

Con Nicholas y Maree había experimentado una sensación de bienestar, de ser aceptada y querida sin juicios; algo sobre lo que su reciente experiencia con Alexander Kouros la había hecho dudar.

En su familia, cada uno era aceptado por lo que era y nunca se juzgaban sus actos sin antes comprender las razones. El padre de Alexander, sin embargo, dirigía su familia con mano de hierro, dejando claro que Alexander, como hijo mayor heredaría el negocio familiar y, lo más importante, tendría que hacer honor a su apellido.

Stavros y Ellie, los padres de Alexander, hablaban sobre ella como si su único cometido fuera el de tener hijos para aumentar la familia. Nunca se les había ocurrido pensar que no pudiera tenerlos. Ni siquiera a ella se le había ocurrido hasta que acudió al médico para hacerse un reconocimiento rutinario. Aquel día había sabido que, debido a una operación de apendicitis realizada a toda prisa durante su adolescencia, parte del tejido había quedado dañado y nunca podría tener hijos.

Había imaginado que Alexander se sentiría tan destrozado como ella, pero también había confiado en su amor y en su apoyo. Sin embargo, cuando les informaron de que existía una arriesgada operación quirúrgica que sólo ofrecía un veinte por ciento de posibilidades de tener éxito, él había insistido en que se operase.

Bethany nunca olvidaría su expresión de disgusto cuando ella había mencionado la posibilidad de adoptar niños, como sus propios padres habían hecho.

–No tendrían sangre de los Kouros –había dicho él, sin darse cuenta de que usaba el mismo tono arrogante de su padre–. Esa no es una alternativa.

Después de eso, la había abandonado.

Enterarse de que nunca podría tener hijos había sido doloroso, pero el rechazo de Alexander la había hecho sentir culpable, sin serlo. Quizá había aceptado la oferta de Nicholas para sentirse útil de nuevo.

–Beth, te llaman por teléfono. Es Nick Frakes –oyó que alguien decía desde la casa, interrumpiendo sus pensamientos. Era Amanda, la novia de su hermano.

–Voy –dijo ella–. Sam, ¿cuándo vas a decirle a Amanda que no me gusta que me llamen Beth? –preguntó, mientras se dirigía hacia la casa. Imaginaba que a Nicholas Frakes tampoco le haría ninguna gracia que lo llamasen Nick.

Quizá Nicholas había cambiado de opinión sobre contratarla, pensaba Bethany mientras subía las escaleras de dos en dos. Quizá Lana Sinden había vuelto y habían hecho las paces. Aquella era una idea muy deprimente.

–Dígame.

–Bethany, gracias a Dios que te encuentro –dijo Nicholas al otro lado del hilo, tuteándola por primera vez–. Maree está imposible desde que te marchaste. ¿Cuánto tardarás en llegar?

Bethany tuvo que ponerse la mano en el pecho para calmar los latidos de su corazón.

–Te dije que iría mañana, pero la verdad es que ya he hecho las maletas. Podría llegar allí esta tarde, si quieres.

–Estupendo. ¿A qué hora?... espera un momento.

Él estaba hablando con otra persona y Bethany sintió que su sonrisa desaparecía. La voz que oía a través del auricular era una voz femenina. No podía entender lo que decían, pero la risa musical de la mujer fue contestada por Nicholas de una forma muy cariñosa. En aquel momento entendía sus prisas. Probablemente Maree estaba siendo un estorbo para su reconciliación con Lana Sinden.

–Llegaré a las cinco –dijo Bethany muy seria cuando él volvió a ponerse al teléfono.

–Genial. Tendremos tu habitación preparada –replicó él, sin darse cuenta del cambio de tono.

El plural «tendremos» no le había pasado desapercibido mientras colgaba el teléfono y la idea de ir a casa de Nicholas Frakes ya no le hacía tanta ilusión.

Durante el viaje iba pensando en sus confusos sentimientos sobre aquel desconocido y sólo cuando llegó a las colinas del oro, en las que se habían hecho fortunas el siglo anterior empezó a relajarse. Al aceptar el trabajo no estaba buscando nada más que un artículo y un poco de dinero, así que ¿qué le importaba a ella que Nicholas y Lana hubieran hecho las paces? Maree era lo único que importaba.

Bethany sonrió al recordar a la niña. A pesar de

la tragedia, de la que ella era inconsciente, Maree tenía una personalidad muy alegre. Bien diferente de los niños que cuidaba en el albergue de Melbourne, algunos abandonados, otros maltratados y todos con una necesidad de afecto y cariño que a veces le partía el corazón. Como resultado de su terrible experiencia, muchos de ellos desconfiaban de todo el mundo y se negaban a dar y recibir amor.

Bethany apretaba las manos sobre el volante, recordándolo. Si no tenía cuidado, terminaría como aquellos niños; demasiado dolorida para confiar en su propia capacidad de amar y ser amada.

–No –dijo en voz alta, sobresaltándose a sí misma. Quizá Nicholas Frakes no era un hombre para ella, pero no era el único hombre del mundo. Y tampoco Alexander. En alguna parte tendría que haber un hombre al que pudiera amar con todo su corazón y que la amaría a ella de la misma forma, no por lo que pudiera o no pudiera darle.

Molesta consigo misma por haberlo puesto en duda, parpadeó furiosamente para apartar la humedad que nublaba sus ojos. A un lado de la carretera de Metcalfe, cerca del pueblo de Kyneton, estaba la salida que debía tomar para llegar a la vieja carretera que llevaba a Yarrawong, la finca de Nicholas Frakes.

Con catorce acres de terreno, su propio manantial de agua mineral y un antiguo bosque de acacias y eucaliptos, Yarrawong estaba en el corazón de aquella provincia, caracterizada por puentes de piedra, viaductos, molinos y casitas de campo. Rodeado por espectaculares bosques, había sido un lugar de caza favorito para los australianos durante mucho tiempo, pero en aquel momento era un sitio tranquilo y silencioso, exactamente lo que Bethany necesitaba.

Cuando entraba a través de la verja de hierro que llevaba a la casa, un sentimiento de alegría la inundó y, sin darse cuenta, empezó a canturrear en voz baja.

Aquella vez, su llegada no fue recibida con los gritos de la niña y, un segundo antes de que hubiera llamado al timbre, Nicholas abría la puerta con Maree en sus brazos. Bethany tuvo que contener un suspiro. Se había prometido a sí misma no dejarse afectar por aquel hombre, pero su cuerpo parecía reaccionar sin tener en cuenta sus promesas.

Él parecía descansado y fresco. Llevaba unos pantalones oscuros y un polo de color crema, con el botón del cuello desabrochado. La fuerte línea de su mandíbula enfatizada por el afeitado y el vago aroma de su loción mezclándose con su propio aroma masculino; una combinación irresistible.

–Entra, entra –insistía él, mientras la niña balbuceaba alegremente–. Sacaremos tus cosas del coche cuando hayas visto tu habitación –añadió, precediéndola por el pasillo. Con Lana o sin ella, Bethany pensaba disfrutar de su estancia en aquella casa, se decía–. Esta casa parece más grande cuando se entra por la puerta principal, ¿verdad?

Bethany se alegró de que no la mirase al decir aquello, porque habría visto que se ponía colorada. La imagen de las sábanas de seda negra estaba demasiado fresca en su mente, junto con la absurda fantasía de sí misma con un camisón sexy, compartiendo habitación con él.

—Es preciosa —consiguió decir, después de aclararse la garganta—. ¿Tu familia ha vivido siempre aquí?

—Mi bisabuelo construyó esta casa en 1860 —contestó Nicholas—. Era policía en los campos de oro, pero también trabajaba como minero en su tiempo libre. Un día, un miembro del gobierno que estaba de visita en las colinas cayó al río y él consiguió rescatarlo. Como recompensa, le dieron estos terrenos y mi familia ha vivido aquí desde entonces.

—Pero tú no habías planeado vivir aquí, ¿verdad? —preguntó ella, dándose cuenta de que en la voz del hombre había una nota de nostalgia.

Nicholas se paró en la puerta de la cocina y apoyó la espalda contra la pared.

—Rowan, el padre de Maree, era mi hermano mayor, así que la casa le pertenecía a él. Estaba pensando convertirla en un albergue rústico para turistas que buscaran un lugar aislado y tranquilo. Mi cuñada era una cocinera excelente, así que hubiera sido el mejor albergue de la zona.

Su cara estaba un poco escondida por los rizos oscuros de Maree, pero Bethany se daba cuenta de su voz se había quebrado y sintió que algo dentro de ella se rompía también. Podía compartir su dolor con ella si eso lo ayudaba. Bethany sabía por experiencia cuánto dolían los sueños rotos.

Antes de que pudiera encontrar las palabras, la puerta de la cocina se abrió y una mujer apareció en el umbral. Un poco más joven y más alta que Bethany, era muy guapa, pero no tanto como esperaba en una modelo. Tenía la cara ovalada, enmarcada por una masa de rizos rubios y una sonrisa cálida.

—Hola, tú debes de ser Bethany —dijo la joven—. Ya me han contado que se te dan muy bien los niños.

—Y tú debes ser Lana Sinden. Encantada de conocerte.

Nicholas y la joven se miraron sin comprender.

—¿Lana? —preguntó la chica—. Ojalá. Lo siento, pero soy Kylie Ross, chica para todo.

—Ya te dije que contrataría a alguien para que se encargara de la casa —explicó Nicholas—. El padre de Kylie es el veterinario de la zona. Viven a cinco minutos de aquí.

—Así puedo venir cada vez que me necesitan —explicó la chica—. Mi novio y yo pensábamos trabajar para Rowan y Kerry cuando abrieran el albergue, pero ahora...

—Ahora trabajas para mí —la interrumpió Nicholas, intentando que su voz sonara alegre—. ¿No te habías dado cuenta de que la casa está limpia?

Bethany seguía sorprendida al descubrir que la joven no era Lana Sinden. La novia de Nicholas no había vuelto, después de todo y sintió que su corazón se llenaba de una tonta alegría. Nicholas no había demostrado sentir por ella nada especial, así que sólo estaba dejando volar su imaginación.

–¿Es que antes tu casa no estaba limpia? –bromeó Bethany.

–Y esto lo dice la mujer que tardaría un año en limpiar mi casa, según sus propias palabras.

–No tengo ni idea de por qué habrá pensado eso –rió Kylie.

–Bueno, ya vale. Los Frakes sabemos cuando hemos perdido una batalla, ¿verdad, Maree? –preguntó a la niña, que jugaba con su pelo–. Buena idea, cariño. Dejaremos que Kylie prepare un café y, mientras tanto, yo voy a cambiarte y a ponerte un rato en la cuna. Después, ayudaré a Bethany a traer sus cosas. Esta niña siempre tiene buenas ideas –añadió, mirando a Bethany.

¿Llevarla a su casa habría sido una de ellas?, se preguntaba Bethany mientras seguía a Kylie dentro de la cocina.

–No puedo creer que sea la misma cocina –exclamó cuando vio lo que Kylie había hecho. Estaba inmaculada y los armarios, el suelo y los utensilios brillaban.

–Ha mejorado un poquito –sonrió Kylie–. Pero Nicholas es un hombre muy ocupado. El pobre tiene que trabajar mientras cuida él solo de la pequeña –añadió, dándole a Bethany una taza de café–. Me alegro de que estés aquí.

–Tú podrías ser su niñera.

–Como a mi padre, se me dan muy bien los cachorros, pero no los niños pequeños.

–Maree es un encanto.

–Esa es la diferencia. A ti te importa. Para las otras niñeras que Nicholas ha entrevistado, ésto no era más que un trabajo y a ninguna de ellas le hacía demasiada gracia vivir en el campo –explicó Kylie, mirándola fijamente–. ¿No nos hemos visto antes? Tu nombre me suena... ¡Ya sé! Tú eres Bethany Dale, la editora de la revista *La Casita De Los Niños*. Mi abuela tiene una tienda de artesanía en Trentham y yo le regalé la suscripción a tu revista el año pasado.

–Ah, ya sé que tienda es... Pequeños Placeres. Tu abuela vende miniaturas, ¿verdad?

–Eso es. Hace cortinas, edredones, lámparas y todo eso para las casitas de muñecas. Mi abuela se va a quedar de piedra cuando le diga que trabajas aquí. ¿Significa eso que no vas a seguir editando la revista?

–Necesito dinero para mantenerla a flote –contestó ella, moviendo el azúcar.

–¿Por eso aceptaste este trabajo?

–En parte –contestó, sin querer explicarle el asunto del artículo hasta que lo hubiera discutido con Nicholas.

–Por cierto, ¿la familia Frakes no tenía una famosa casa de muñecas? –preguntó Kylie entonces.

–Mi tío coleccionaba casas de muñecas y me habló de ella, pero ya no está expuesta al público.

–Quizá Nicholas haga una excepción si se lo pides –sugirió Kylie.

–¿Si me pide qué? –preguntó Nicholas entrando en ese momento en la cocina.

Bethany se sintió incómoda. No quería que pensase que ella había sacado el tema.

–Nada importante –dijo, levantándose de la mesa–. Será mejor que saque las cosas de mi coche.

–Estábamos hablando sobre la revista de Bethany y sobre la casa de muñecas de tu familia –dijo Kylie.

–¿No tenéis nada más interesante que discutir que la historia de mi familia? –preguntó él irónico, saliendo de nuevo de la cocina.

–¿He dicho algo malo? –preguntó Kylie, preocupada.

–No, tú no. Debería haberlo dicho yo –dijo Bethany, levantándose. Cuando terminase de decirle lo que tenía que decir, seguramente Nicholas cambiaría de opinión sobre contratarla. Era un riesgo, pero tenía que aceptarlo. Si el precio por trabajar allí era no hablar en absoluto sobre aquella casa de muñecas, no duraría ni un día.

Pero él estaba en el último sitio en el que hubiera esperado encontrarlo; sacando las cajas de su coche.

–¿Qué estás haciendo?

–¿No lo ves? Sacando las cosas de tu coche.

–¿Aunque yo no sepa mantener la boca cerrada?

–Yo no he dicho eso.

–Pero lo has dado a entender.

Nicholas dio un paso hacia ella, furioso. Típicamente masculino, pensaba Bethany, intentar intimidarla con su altura. Si ella fuera un hombre, él no haría aquello. Y si fuera un hombre, no tendría el corazón acelerado.

Nicholas era altísimo. Hombros anchos, manos

grandes, gran... no quería seguir observándolo. Era una figura imponente, sobre todo tan cerca de ella, tanto que podía sentir el roce de los pantalones de él en sus piernas. Pero tenían un par de cosas que aclarar y ella estaba dispuesta a hacerlo.

–No suelo enfadarme –dijo él en voz baja.

–Pues hace un minuto parecías enfadado –replicó ella, levantando la cara para mirarlo a los ojos, que en aquel momento eran del color del mar embravecido.

–Tenía mis razones.

–¿Te importa decirme cuáles son?

–Ya sabes lo que siento por esa maldita casa de muñecas –contestó él, tomándola del brazo y atrayéndola hacia él–. Kylie y tú podríais hablar del tiempo, o del viaje desde Melbourne o de cualquier otra cosa. Pero, cinco minutos en mi casa, y tienes que hablar justo sobre lo que yo no quiero hablar.

Bethany podía haber dicho que había sido Kylie quien había sacado el tema, pero no quería causarle problemas a la joven.

–No me habías dicho que fuera un secreto –replicó, nerviosa por la proximidad del hombre–. Además, me has prometido un artículo. ¿O no piensas cumplir tu promesa?

–Por supuesto que voy a cumplir mi promesa –dijo él entre dientes–. Pero cuando sea conveniente. Mientras tanto, te agradecería que no comentaras el asunto con todo el mundo.

La intensidad del hombre la sorprendía; el

efecto causado por su mano en el brazo, que le estaba cortando la circulación.

–¿Por qué, Nicholas? ¿Qué tiene esa casa de muñecas que ni siquiera puedes hablar de ella de una forma racional?

Nicholas suspiró pesadamente, pero no la soltó.

–Quizá no quiera visitantes en mi casa, como ocurría cuando era pequeño.

–A mí me has dejado entrar.

–Tú eres diferente. Maree está a gusto contigo.

–Maree parece ser el único miembro de la familia que está a gusto conmigo –dijo Bethany, apesadumbrada.

–Yo también quiero que estés aquí.

–¿Tú? ¿Por qué? –preguntó, sorprendida–. Primero te enfadas porque parece que he descubierto uno de los oscuros secretos de tu familia y ahora me dices que quieres que esté aquí. No sé qué pensar.

–Entonces, quizá ésto te ayude a entender.

Nicholas la atrajo contra su pecho de repente, mientras buscaba sus labios y suavemente, pero con firmeza la obligaba a abrirlos. Bethany no había tenido tiempo de pensar si aquello era buena idea cuando una ola de deseo la envolvió.

La intensidad de aquello era tan abrumadora que le temblaban las piernas y se sujetó a él, sintiendo que el mundo giraba a su alrededor. Desde el instituto siempre le habían tomado el pelo porque besaba con los ojos abiertos, pero aquella vez la sorpresa hizo que sus párpados se cerraran sin darse cuenta. Inmediatamente, se encontró a sí misma en una oscura caverna de sensaciones, registrando cada pulsación, cada segundo, como una escala Richter interior que ella ni siquiera sabía que poseía.

–¿Qué estás haciendo? –consiguió decir cuando encontró su voz.

–Necesitaba besarte –dijo él, aparentemente tan afectado como ella–. ¿Crees ahora que quiero que te quedes?

–¿Siempre eres tan persuasivo, Nicholas? –preguntó Bethany, aún sintiendo el sabor de los labios masculinos en los suyos.

La respuesta del hombre fue observarla de cerca. Lo apretado del abrazo hacía que la camiseta de algodón que llevaba se ajustase a su cuerpo, marcando las curvas de su pecho.

–No tienes ni idea de lo persuasivo que puedo ser –murmuró él.

–Esto no era parte del acuerdo –dijo, con voz entrecortada.

–¿No? ¿Estás diciendo que no sentiste nada cuando nos conocimos?

–No estoy diciendo eso –contestó Bethany sencillamente. Parte de ella había sabido desde el principio que, fueran cuales fueran las razones que la habían llevado de vuelta a Yarrawong, la más importante de todas era el propio Nicholas.

–Entonces, ¿debo entender que no me encuentras físicamente repulsivo? –bromeó él.

–Sabes muy bien que no.

En realidad, era su propia respuesta lo que la

alarmaba. Nunca un hombre la había excitado como la excitaba Nicholas.

–Si es lo que estás pensando, ésta no es la forma en la que suelo entrevistar a las posibles niñeras de Maree.

–Nunca se me hubiera ocurrido.

–Entonces, te ha gustado la experiencia y sabes que no suelo hacerlo. La única objeción es que ha ocurrido demasiado rápido, ¿no es así? Pues esa es una objeción que se puede remediar –dijo él. Su tono indicaba que la idea le parecía un reto y Bethany sintió un escalofrío, pensando las formas que ese reto podía adoptar–. Empezaremos por hacer que te sientas como en tu casa. No volveré a besarte hasta que estés preparada. Lo prometo.

Bethany pensaba que aquello podía entenderse de muchas maneras. Podría querer decir que él esperaría hasta que ella le demostrara que estaba preparada para volver a besarlo o que él haría todo lo posible para que lo estuviera inmediatamente. Su corazón empezó a latir con fuerza al pensar en aquella posibilidad.

Aquello tenía que terminar, se decía a sí misma con decisión. Su respuesta a Nicholas era puramente física. Apenas lo conocía. Había ido a Yarrawong para resolver sus problemas personales y financieros y no necesitaba más emociones por el momento.

Tendría que hacérselo saber antes de que las cosas se complicaran más. Pero no en aquel momento. Lo haría más tarde, quizá al día siguiente.

O quizá nunca, se sorprendió pensando a sí misma mientras lo seguía hacia la casa.

No se dio cuenta hasta mucho más tarde, después de deshacer la maleta, de qué forma tan efectiva Nicholas había conseguido apartar su mente de la casa de muñecas.

Capítulo 4

A LO MEJOR hoy puedes ver a tu papá un ratito más –le estaba diciendo Bethany a Maree. Acababa de darle de comer y, mientras le ponía un vestidito rosa con un diseño de koalas, la niña parecía impaciente. Mientras inhalaba el perfume a talco del pequeño cuerpecito, Bethany sentía que algo apretaba su corazón y, escondiendo la cara en la barriguita de la niña, empezó a soplarle y hacer ruiditos que Maree celebraba con carcajadas, pero los ojos de Bethany estaban llenos de lágrimas cuando levantó la cabeza. Siempre le habían gustado los niños, pero creía que algún día cuidaría de los suyos propios y era muy difícil aceptar que eso no ocurriría nunca–. Siempre habrá preciosidades como tú que necesiten una madre –le susurró a Maree en voz baja; una voz en la que había una tristeza imposible. No todos los hombres eran reacios a la adopción. Había hombres como Nicholas, por ejemplo. Tuvo que sonreír al recordar la imagen de Nicholas y Maree. Era fácil reconocer el parentesco. Los dos eran morenos, guapos, testarudos y capaces de iluminar la casa con la fuerza de su personalidad–. Bueno, ya está. Lista para empezar el día. Desgraciadamente, yo no lo estoy tanto –añadió. Nicholas había pasado los últimos días encerrado en su oficina para terminar un proyecto urgente para el gobierno y ella había intentado no entristecerse, sin conseguirlo.

–Sin tu ayuda con Maree, no podría hacerlo –le había dicho él. Después, había desaparecido en su oficina, de la que sólo salía para comer y jugar un rato con Maree antes de irse a dormir. Pero incluso entonces parecía distraído. Bethany sabía cuál era el problema. El recuerdo de aquel beso seguía quemándola por dentro. Quería que él pensara en ella no sólo como alguien que cuidaba de la niña, sino como mujer. Probablemente era una tontería, pero aquel sentimiento no parecía abandonarla. Por eso su corazón dio un vuelco cuando él entró en el cuarto de Maree aquella mañana.

–Buenos días, ¿cómo están mis dos mujeres favoritas?

–Da, da, da... –balbuceó Maree, estirando los bracitos hacia él.

–¿Tú crees que está intentando decir papá? –preguntó él, tomando a la niña en brazos para tirarla arriba y abajo.

–Las primeras palabras se dicen con un año. Frases completas a los dos –dijo Bethany, intentando no mostrar su emoción. Era demasiado difícil no recordar lo que había sentido al tener aquellos fuertes brazos rodeándola–. Pero nunca se sabe.

–¿Puedes decir Bethany, preciosa? –preguntó él, haciéndole cosquillas bajo la barbilla–. Hazlo por papá. A ver, Be-tha-ny.

–Ah, ah, ah...

–No está mal para empezar –rió él. besándola en la frente–. Bueno, ¿qué queréis hacer hoy?

Bethany lo miró sorprendido. ¿Habría leído sus pensamientos?

–Se supone que yo estoy aquí para que puedas trabajar –dijo ella, poniéndose colorada.

–Sí, pero ya sabes lo que dicen sobre el que trabaja demasiado.

–Pero tu proyecto...

–Ya lo he terminado. Lo envié ayer por la tarde y ahora depende de ellos si lo aprueban o no. Hasta que se decidan, soy un hombre libre. Así que, repito, ¿qué os apetece hacer hoy?

Bethany no podía pensar con claridad. Pasar el día con Nicholas era muy apetecible, pero no estaba segura de que fuera sensato. No sabía nada sobre él, excepto que podía excitarla con una sola mirada y que ella estaba allí para escribir un artículo, no para enamorarse.

Pero él sólo estaba sugiriendo pasar un día juntos, posiblemente más por Maree que por ella, se decía a sí misma, impaciente. ¿Por qué estaba exagerando?

–Podríamos ir a Trentham para visitar la tienda de la abuela de Kylie –dijo Bethany por fin.

–Buena idea. Está bastante cerca y podremos dar un paseo por el bosque... así que ponte unas botas –dijo él–. ¿Y a ti qué te parece, enana? –preguntó, levantando a la pequeña–. ¿Te apetece dar un paseo por el bosque?

–Buena idea. Está descubriendo para qué sirven las piernas y quiere ponerse de pie todo el tiempo.

–¿No me digas que me he perdido sus primeros pasos? –preguntó él, con cara de horror.

–No te preocupes. Por ahora sólo se dedica a gatear, pero pronto se dará cuenta de que puede ponerse de pie.

–Ah, claro, por eso parece tan inquieta. Estás deseando irte a explorar, ¿verdad? Bueno, pues no intentes gatear en el bosque.

–Tranquilo –rió Bethany–. No va a salir corriendo. Aún tiene mucho que experimentar antes de acostumbrarse a eso de ir de pie.

Eso mismo debería hacer ella, se decía. Ir despacio, poner un pie después del otro como le había recomendado un amigo psicólogo después de su ruptura con Alexander. Era un buen consejo también para aquella situación, pensaba mientras entraban en el jeep.

Cerca del manantial de Kyneton, Nicholas giró hacia el río Coliban, uno de los lugares preferidos de los buscadores de oro. Bethany escuchaba sus explicaciones con cierto alejamiento, más pendiente del propio Nicholas que de la historia que le estaba contando. Cuando él extendió una mano para señalar las ruinas de un antiguo puente, ella asintió con la cabeza. Pero lo único que veía eran los músculos de su antebrazo. Fascinada, no podía dejar de mirar aquel brazo bronceado, cubierto de un suave vello oscuro y tenía que hacer un esfuerzo para no acariciarlo con los dedos.

Nicholas aparcó el coche cerca del puente y se volvió hacia Maree.

–Ahora veremos lo que esas preciosas piernas pueden hacer.

–Espero que no lo digas de verdad –dijo Bethany alarmada–. Aún no puede mantenerse de pie.

–No me refería a Maree –sonrió él.

–Ah... creí que...

–¿Que no me había fijado en cómo te quedan esos pantalones cortos? –interrumpió él.

–Hace demasiado calor para ponerme otra cosa –contestó ella, sonrojándose.

–Y además son un incentivo estupendo para hacer el trabajo lo más rápidamente posible y salir de la oficina –dijo él.

Bethany no podía evitar una sonrisa. Después de todo, él también había estado pensando en ella. Quizá, incluso, estaba tan extrañamente obsesionado como lo estaba ella, pensaba.

Nicholas se colgó a la espalda la mochila con el almuerzo y sacó a Maree del asiento. Bethany le puso un gorrito para el sol y se colgó al hombro la bolsa con los pañales de la niña.

Podrían ser una familia feliz en un día de campo, pensaba mientras seguía a Nicholas a través del sendero que corría paralelo al río. El sol que se filtraba a través del bosque de eucaliptos la ponía aún de mejor humor. Por primera vez en mucho tiempo, su corazón estaba alegre.

En la orilla del río bebían algunos pájaros y Maree saltaba de alegría, señalándolos con el dedito. Cuando llegaron a un prado cubierto de flores,

Bethany se llenó los pulmones de aquel aroma salvaje.

–Es precioso –sonrió.

–Sabía que te gustaría –dijo Nicholas–. Rowan y yo solíamos venir aquí de pequeños.

–Debes echarlo mucho de menos.

–Aquí pasábamos muy buenos ratos y quiero que Maree crezca en el mismo sitio en el que lo hizo su padre.

–Es una idea preciosa. La mayoría de los hombres no hubieran pensado en eso.

–¿Es que aún no te has dado cuenta? –preguntó él–. Yo no soy como la mayoría de los hombres –añadió, mirándola con intensidad. Ella lo había sabido desde el primer momento y tuvo que apartar la mirada para no traicionarse a sí misma–. Creo que lo mejor será parar un rato para comer.

Mientras preparaban el almuerzo, Nicholas le daba explicaciones sobre el bosque, la presa que databa de 1938 y todo lo demás. Aquel era el lugar perfecto para comerse los bocadillos de pollo y las fresas que Kylie había preparado.

Maree tomó con apetito el puré de verduras y el de melocotón y después se quedó dormida sobre una manta, bajo la sombra de un alto eucalipto.

Bethany se apoyó en el tronco del árbol, mirándola.

–¿Por qué los niños producen tanta ternura? –preguntó en voz alta.

–Porque son indefensos e inocentes y nos necesitan –dijo él, tumbándose a su lado.

–Mi jefa en la guardería suele decir que estamos

genéticamente programados para enternecernos por las criaturas pequeñas para asegurarnos de la supervivencia de la especie.

–¿Y tú no lo crees?

–Si fuera verdad, todo el mundo sentiría lo mismo. Pero los padres de los niños del albergue contradicen esa teoría. Había un niño... –empezó a decir ella, pero no terminó la frase. Tenía miedo de revelar demasiado sobre sí misma.

–Sigue –dijo él.

–Era demasiado mayor para seguir en el albergue y los problemas con su familia no se habían resuelto, así que me lo llevé a casa durante un mes.

–Seguro que también te llevas a casa a los perros callejeros.

–¿Cómo lo sabes? –preguntó ella, escondiendo la cara.

–Por ésto –contestó él, levantando su barbilla y limpiando una lágrima con el dedo–. No me gusta que tu trabajo te cause dolor –añadió, rodeándola con los brazos y buscando su boca. Lo que había empezado como un beso de consolación, rápidamente se convirtió en algo más profundo y devolverlo le parecía a Bethany lo más natural del mundo. Cuando él se apartó, su corazón latía tan fuerte que parecía querer salirse de su pecho–. Será mejor que nos vayamos si queremos llegar a la tienda de la abuela de Kylie –dijo él con voz ronca.

En ese momento, Bethany tomó la decisión de guardar sus emociones más cuidadosamente. Llevar el corazón en bandolera era demasiado peligroso estando cerca de Nicholas.

Como le había dicho, Trentham estaba muy cerca y pronto conducían por sus calles, observando los pequeños edificios rodeados de porches de madera, cafés y tiendecitas de artesanía.

–Ahora entiendo que la abuela de Kylie haya abierto una tienda aquí –observó Bethany. En ese momento se acercaban a una tienda con un letrero sobre la puerta que decía «Pequeños Placeres»–. Qué pequeñita es –exclamó al verla. Sólo tenía dos diminutos escaparates, llenos de objetos de cerámica y madera.

–Probablemente por eso se llama así –dijo Nicholas –. ¿Por qué no entras tú sola? Maree está tan dormida que me da pena despertarla.

–¿No quieres entrar?

–Kathryn sabe que esas cosas pequeñas no son precisamente de mi gusto.

¿Tendría eso algo que ver con la aversión que sentía a hablar sobre su casa de muñecas?, se preguntaba Bethany.

–De acuerdo. No tardaré mucho.

–Tómate el tiempo que quieras –dijo él.

Bethany se sentía incómoda por la actitud del hombre, pero intentaba disimularlo. Cuando abrió la puerta de la tienda, oyó un sonido de cascabeles que anunciaba su presencia y una mujer salió de la parte trasera, secándose las manos en un mandil.

–No me lo diga. Usted es Bethany Dale.

–¿Cómo lo sabe?

–Kylie la describió muy bien, pero aunque no lo hubiera hecho, yo la habría reconocido por la fotografía de su revista.

Era sólo una fotografía diminuta en su sección de casas de muñecas, pero Bethany se sentía halagada.

—Encantada de conocerla. He querido escribir un artículo sobre su tienda desde que me enteré de su existencia.

—Desde que puse el anuncio en su revista, recibo muchos pedidos. Un artículo me daría el empujón definitivo —sonrió la mujer, encantada.

—Entonces lo escribiré antes de marcharme.

—¿No piensa quedarse en Yarrawong?

—Sólo estoy cuidando de Maree hasta que Nicholas encuentre a una niñera profesional.

—Qué pena. Por lo que me había dicho Kylie, pensé que Nicholas y usted... bueno, ya me entiende.

Bethany sintió que se sonrojaba hasta la raíz del cabello. Los cotilleos solían extenderse tan rápido como el fuego en los sitios pequeños, pero nunca se le habría ocurrido pensar que la gente murmuraría sobre Nicholas y ella.

—No hay nada de eso —dijo con firmeza—. Yo necesito dinero para mantener la revista a flote y Nicholas me ha ofrecido un trabajo, por eso estoy aquí —añadió. La explicación le sonaba falsa incluso a ella, pero era la verdad, lo creyera la gente o no. Que fuera o no toda la verdad, era algo que no quería pensar.

—Si usted lo dice —dijo la señora Ross—. Pero Nicholas es un hombre estupendo. Si mi nieta no estuviera comprometida... —añadió, dejando la frase en el aire. Sin duda todos los padres y abuelos de la zona deseaban lo mismo, pensaba Bethany, mientras echaba un vistazo por la tienda, inspeccionando los cientos de miniaturas que había en ella y eligiendo un par de muebles para su propia casa de muñecas. Le encantaban las alfombritas, colchas y cortinas a juego que hacía a mano la señora Ross; mucho más delicadas que las que había visto nunca–. ¿Quiere ver las fotografías que me envían mis clientes?

–Me encantaría –contestó, siguiéndola hasta la trastienda–. Es increíble que haga usted estas maravillas.

–Todas ellas –dijo la señora Ross con orgullo–. Desde que mi marido murió, me paso todo el día aquí. Pero merece la pena, porque a la gente le encantan mis miniaturas –añadió, mostrándole un paquete de fotografías con todo tipo de casas de muñecas–. Tengo unas fotografías que le encantará ver –susurró la mujer de repente, abriendo una cajita de madera de la que sacó tres fotografías de color sepia–. ¿Qué le parecen?

Las fotos pertenecían a una casa de muñecas del siglo XIX, decorada con muebles de época.

–Es maravillosa.

–Es la casa de muñecas de la familia Frakes. Yo la vi cuando era una niña, pero no he vuelto a oír hablar de ella. Quizá usted pueda conseguir que Nicholas le cuente algo más. Aunque, después de lo que pasó, comprendo que para él sea un tema tan delicado –añadió, bajando la voz.

–Si él quiere contármelo, estoy segura de que lo hará –dijo Bethany, intentando disimular su curiosidad.

–No se sorprenda si no lo hace, querida. No fue un momento muy alegre para el pequeño Nicholas. Él... –pero la mujer interrumpió lo que estaba diciendo al oír una tos. Nicholas estaba en el umbral de la puerta con Maree en brazos y parecía muy enfadado–. Hola, Nicholas. Estábamos hablando de ti.

Era la segunda vez que interrumpía una conversación en la que, aparentemente, Bethany hablaba sobre él a sus espaldas y su expresión furiosa le decía que, de nuevo, no creía en su inocencia.

–La señora Ross tiene unas fotos preciosas de tu casa de muñecas –dijo Bethany, intentando parecer natural.

–Puedes quedártelas tú, Nicholas –dijo la señora Ross–. Al fin y al cabo, la casa es de tu familia.

Nicholas tomó las fotografías como si fueran a morderlo.

–Ya que parece tan interesada en ella, quizá las quiera Bethany –replicó él con frialdad.

Bethany no había buscado las fotos ni la conversación sobre ellas, pero no podía explicárselo delante de la señora Ross. El daño estaba hecho.

–Será mejor que nos vayamos. Es la hora de la merienda para Maree –se despidió Bethany.

–Claro, pobrecita. Menos mal que te tiene a ti, Nicholas. Si no, estaría sola en el mundo.

–Eso no ocurrirá nunca –dijo Nicholas con un tono tan salvaje que Bethany tuvo que mirarlo, sorprendida. ¿Qué había dicho la pobre señora Ross para provocar aquella reacción?, se preguntaba. Estaba claro que aquella casa de muñecas ocultaba un gran secreto, pero Bethany no estaba tan segura de que él fuera a contárselo algún día.

–No te quedarás contenta hasta que conozcas toda la sórdida historia, ¿verdad? –preguntó él, furioso, cuando entraban en el coche.

–Nicholas, yo no le he preguntado nada a la señora Ross. Fue idea suya enseñarme las fotos, así que no te enfades conmigo.

–Pues siempre pareces estar hablando sobre ello.

–¿Hablando sobre qué? ¿Por qué eres tan misterioso sobre ese asunto?

–Si tan interesada estás, tendré que explicártelo –contestó él, mirándola con ojos helados–. No tengo ninguna gana de hablar de ello, porque esa maldita casa de muñecas destrozó a mi familia.

Capítulo 5

POR favor, no lo hagas, Nicholas –dijo Bethany.
–¿Que no haga qué? ¿Darte lo que quieres?
Mi única pregunta es, ¿qué harás cuando lo
tengas?

–No te entiendo.

–Una vez que conozcas la historia que habías
venido a buscar, ¿qué haras? ¿Quedarte o marcharte? –preguntó él, con los dientes apretados.

Poco tiempo atrás, la respuesta habría sido obvia. Había ido a Yarrawong sólo para escribir un
artículo sobre la misteriosa casa de muñecas de la
familia Frakes. Sin embargo, en aquel momento,
no estaba segura de que eso fuera lo más importante.

–Te he dicho que cuidaría de Maree hasta que
encontrases a alguien, con artículo o sin él –contestó ella, sabiendo que no era toda la verdad. Nicholas era la razón por la que no deseaba marcharse. Nunca había conocido a un hombre tan
complejo; unos minutos antes parecía completamente relajado y, de repente se volvía tan oscuro y
misterioso como la cara oculta de la luna. La idea
de explorar aquel territorio desconocido la excitaba y la asustaba, pero sabía que era demasiado

tarde para volverse atrás. Haber permitido que Nicholas la besara había sido el primero paso–. Si sigues queriendo que me quede –añadió.

–Bethany –dijo él. Su tono era tan bajo y duro que apenas podía reconocer su propio nombre. De repente, él paró el coche a un lado de la carretera y, la abrazó con furia.

Su contacto era más exigente que dulce y, sin embargo, Bethany era incapaz de parar los desbocados latidos de su corazón mientras él la tomaba rudamente en sus brazos.

El calor que sentía no tenía nada que ver con la temperatura del ambiente y sí con el placer que disfrutaba al sentirse aplastada contra el pecho de Nicholas. Un momento antes había tenido miedo de que nunca más volviera a querer estar cerca de ella, pero sus labios se movían sobre los suyos con una fuerza que encendía su sangre.

No quería pensar en nada excepto en aquel beso, pero seguía recordando sus palabras sobre la casa de muñecas.

La primera vez que él la había besado también habían estado hablando sobre ello y Bethany sintió una opresión en el corazón. Si aquella era su forma de hacerle olvidar el asunto, era muy efectiva. Y también significaba que el abrazo era falso.

Como si él hubiera sentido sus dudas, él la soltó poco a poco. Bethany se sentía de nuevo sola; tan sola como se había sentido antes de que él la besara, como si hubiera perdido algo precioso.

–Nicholas, ¿por qué has hecho eso? –preguntó, intentando que su voz sonara normal.

–¿Te has visto en el espejo últimamente? –preguntó él, sin mirarla.

–¿Por qué me has besado cuando estábamos discutiendo sobre la casa de muñecas? –insistió ella, sin dejarse vencer por el cumplido.

–No lo he hecho para cambiar de conversación, si es lo que crees –contestó él, mirándola con aquellos ojos grises llenos de furia.

–Es la segunda vez que lo haces.

–¿Sí? Quizá es que discutir contigo hace que me hierva la sangre y pierdo el control. ¿Te gustaría que te besara sin estar enfadado? –preguntó él, enredando sus dedos en los de ella.

–A lo mejor no funciona. Quizá seamos de ese tipo de gente que tiene que pelearse antes de...

–¿Hacer el amor? –terminó él la frase por ella.

–Iba a decir «ser sinceros el uno con el otro» –corrigió ella, un poco cortada.

–Me gusta más mi respuesta –sonrió él. En ese momento, oyeron una suave protesta desde el asiento de atrás, seguida de un gimoteo y Nicholas suspiró–. Parece que mi niña se ha despertado.

No sólo se había despertado, sino que estaba hambrienta e incómoda, notó Bethany cuando la sacó del asiento. Kylie había guardado en la cesta la merienda de la niña, pero como insistía en hacerlo ella misma, el proceso era largo. En realidad, Bethany agradecía aquel intermedio porque le daba tiempo para recomponerse y recuperar el control de sus emociones.

Cuando él volvió a arrancar el coche, Bethany había conseguido recuperar la compostura; al menos por fuera.

Cuando llegaron a casa, Kylie se encargó de Maree y Nicholas tomó a Bethany del brazo y la llevó hacia afuera.

–¿Dónde vamos? –preguntó.

–Voy a darte lo que quieres.

–¿Vas a enseñarme la casa de muñecas?

–Si no lo hago, no podremos tener paz.

–Ya te lo he dicho. Fue la señora Ross quien empezó a hablar del tema y, francamente, si esa casa te causa tanto dolor, casi prefiero no verla nunca.

–¿Lo dices en serio?

–No quiero hacerte daño, Nicholas.

–No me lo haces. Mi reacción de hoy me ha enseñado que es hora de que saque todo esto a la luz, así que quizá estás haciéndome un favor.

Por su tono de voz, Bethany se daba cuenta de que seguía sin gustarle la idea, pero sabía que sería imposible hacerle cambiar de opinión, así que aceleró el paso para seguir sus zancadas.

Su oficina estaba en un edificio contiguo a la casa, que había sido un garaje. Era un edificio de dos plantas que tenía un aspecto antiguo y la maciza puerta de roble de la entrada crujía sobre sus goznes al abrirla. Pero antes de hacerlo había tenido que desconectar un moderno sistema de alarma, que le recordó la naturaleza secreta de su trabajo.

Dentro del edificio había ordenadores de última generación y equipos que no podía identificar. No se parecía nada a un antiguo garaje. El suelo era de madera y había teléfonos con extraños artilugios, que Bethany suponía eran sistemas de seguridad.

Lo que llamaba la atención sobre aquella oficina tan estructurada era una esquina, separada de
las mesas por una verja, dentro de la cual había
montones de juguetes de colores.

–¿Para Maree?

–Como no podía encontrar una niñera, me la
traía aquí mientras trabajaba. Le gustan las luces y
el sonido de los ordenadores. A veces, cuando
tenía un rato, dejaba el trabajo y jugaba con ella.

La imagen de Nicholas jugando con Maree en
aquel sitio hizo que Bethany sintiera un nudo en la
garganta. Le emocionaba la idea de que él se tirase
al suelo para jugar con una cría en medio de aquella oficina y el deseo de poder hacer lo mismo con
sus propios hijos hizo que tuviera que darse la
vuelta para que Nicholas no viera que sus ojos se
habían humedecido.

–Ya veo que no te interesa –dijo entonces Nicholas, que había interpretado mal su gesto, diri-
giéndola hacia una escalera que llevaba al segundo
piso. El segundo piso parecía un ático en el que se
hubieran acumulado todas las cosas que habían dejado de usarse en la casa. Sábanas blancas cubrían
muebles antiguos, viejos baúles y cuadros; pero
nada de ello tenía polvo. Estaba tan limpio como la
oficina, pero daba la impresión de que nadie hubiera pasado por allí en mucho tiempo–. Esto es lo
que querías, ¿no es así? –preguntó él, levantando
una de las sábanas.

–¡Nicholas, es preciosa! –exclamó Bethany emocionada. La casita de muñecas era el mejor ejemplo de arquitectura colonial en miniatura que había

visto nunca. Medía alrededor de un metro de alto y un metro y medio de ancho, con un pórtico colonial sobre el que se apoyaba un balcón. Las ventanas estaban colocadas de forma milimétrica, en el estilo favorito de los arquitectos de la época. El frente se abría para mostrar el interior de la mansión y Bethany se puso de rodillas para observar el salón con su escalera central. El suelo era de madera de roble, los elementos de la chimenea estaban hechos de bronce y los muebles de cedro, reproduciendo exactamente el estilo de la época. Ocho habitaciones amuebladas hasta el último detalle se abrían desde el salón. El comedor estaba entelado en color granate y los muebles eran de estilo victoriano. Una réplica perfecta de un piano de 1841 diseñado por John Broadwodd parecía dispuesto para ser tocado y la chimenea era de mármol italiano–. Nunca había visto algo así –añadió, rozando con la punta de los dedos uno de los muebles. Era una fiel imagen de la vida en Australia durante la época colonial. ¿Cómo podía alguien esconder aquel tesoro? Pero cuando miró a Nicholas, lo único que vio era desprecio por aquella maravilla–. ¿Qué pasa, Nicholas? –preguntó, poniéndose de pie–. Me has dicho que esta casa estuvo a punto de destrozar a tu familia.

Él levantó otra de las sábanas blancas, mostrando un antiguo sillón sobre el que la invitó a sentarse, mientras él se paseaba por la habitación, inquieto.

–No hay mucho que contar y quizá es menos dramático de lo que yo recuerdo. La casa fue construida para mi bisabuela por uno de los arquitectos más famosas de la época. Cuando yo era pequeño solía estar en un lugar de honor en el salón.

–¿Y qué pasó?

Bethany se sentía como si estuviera encerrada en una habitación de la que sólo Nicholas tuviera la llave. Abrir la puerta los acercaría más o los apartaría para siempre.

–La gente se enteró y empezaron a venir a verla. A mi madre le encantaba mostrarle su tesoro a todo el mundo, pero mi padre odiaba que hubiera extraños en casa. Tras la muerte de mis abuelos, él quería guardarla en el ático y no volver a verla. Eso hacía que mis padres discutieran continuamente –empezó a explicar él. Bethany escuchaba atentamente, pero aquello no explicaba la aversión que sentía por aquel objeto encantador–. Cuando tenía once años, un hombre llamó desde Sidney para preguntar si podía venir a ver la casa y mi madre aceptó porque mi padre estaba de viaje. El hombre vino a verla varias veces. Yo no me di cuenta de que a quien venía a ver era a mi madre hasta que un día ella se marchó con él. No volvió nunca –dijo él, sin mirarla–. Mi madre y ese hombre se fueron a vivir a Inglaterra y nuestro único contacto es una tarjeta de navidad de vez en cuando.

–¿Cómo lo tomó tu padre? –preguntó Bethany.

–Mi padre nunca fue un hombre muy extrovertido, pero cuando mi madre se fue se convirtió prácticamente en un ermitaño. Murió diez años más tarde, pero en realidad se había enterrado en vida el día que ella se marchó.

Viniendo de una familia unida como la de Bethany, era difícil imaginar lo doloroso que aquello había podido ser para Nicholas. En aquel momento entendía que él odiara la casita y todo lo que tenía que ver con ella.

–¿Tu padre no tenía amigos o parientes que pudieran consolarlo?

–Sólo su hermana, que vivía en Queensland. Rowan y yo pasábamos algunas vacaciones con ella, pero mi padre prefería quedarse aquí. Gracias a Dios mi tía Edna nos enseñó que la vida tenía muchas cosas que ofrecernos. Si no hubiera sido así, habríamos terminado como mi padre.

–Yo no creo que eso vaya a ocurrirte –dijo ella suavemente.

–¿Tan bien crees que me conoces?

–Dos besos no me convierten en una experta –contestó ella, intentando disimular la tensión.

–Eso suena como una invitación, Bethany –dijo él, acercándose.

Ella no había querido que lo fuera, al menos no conscientemente, pero en cualquier caso era demasiado tarde porque él se inclinó sobre el sillón, con un brazo a cada lado, atrapándola con su cuerpo. Cuando quiso levantarse, él la envolvió en sus brazos y la levantó, apretándola contra su pecho. Bethany sentía que la fuerza de Nicholas derretía todas sus defensas.

–¿Qué estás haciendo? –susurró, con un nudo en la garganta.

–Convertirte en una experta en Nicholas Devlin Frakes –contestó él, besándole los labios entre palabra y palabra hasta que ella empezó a temblar de placer.

Pero no era ella sola, se dio cuenta al notar que el cuerpo del hombre se endurecía. Un deseo más poderoso del que hubiera experimentado nunca la envolvía, empezando desde la espina dorsal y llegando hasta la cabeza. Un gemido de asombro hizo que abriera los labios, oportunidad que él aprovechó para explorarla con su lengua.

Bethany no se apartó, aunque algo dentro de ella le decía que lo hiciera. Era mucho más agradable devolver sus besos, mientras las manos de él acariciaban su espalda.

Nicholas sentía que empezaba a perder la cabeza. Había querido demostrarle a Bethany que no sabía nada sobre sus sentimientos porque las mujeres solían creer que conocían a un hombre en cuanto él les confesaba algún secreto y Nicholas había leído aquello en su cara mientras le estaba contando que su madre los había abandonado. Bethany había entendido que aquella era la razón por la que odiaba la casita de muñecas.

Nunca se le hubiera ocurrido pensar que lo que odiaba era el papel de aquella casa en la destrucción de su padre, no en su propio dolor. Mucho antes de marcharse, su madre había usado la casa como una especie de venganza contra su padre. Cuanto más se negaba él a recibir extraños en su hogar, más insistía ella en invitar a quien quisiera verla. La *casita* era un símbolo de todo lo que había funcionado mal en el matrimonio de sus padres y esa era la razón por la que no quería saber nada de ella.

La había besado para demostrarle que no lo conocía en absoluto, pero no había esperado que su corazón empezara a latir con tanta fuerza ni había esperado sentir aquel ansia por ella que estaba a punto de hacerle perder el equilibrio.

La lógica le decía que la soltase y le pidiera disculpas por dejar que las cosas se le escaparan de las manos, pero no podía hacerlo. Al contrario, inclinaba la cabeza para besar su garganta, justo sobre la invitadora sombra entre sus pechos. La camiseta se había salido de su pantalón y un gemido se escapó de la garganta femenina cuando notó la mano del hombre explorando suavemente sus curvas.

Su piel le recordaba a un helado de crema, de textura suave y rica como un pecado. Ir al congelador para comer helado cuando no lo veía nadie había sido una de sus travesuras cuando era niño y, en aquel momento, sentía la misma sensación deliciosamente culpable al rozar con los dedos una de sus endurecidas cumbres y acariciarla entre el pulgar y el índice. El gemido de ella pareció traspasarse a su propio cuerpo.

No quería demostrarle nada excepto lo maravilloso que sería hacer el amor, pensaba un poco mareado. Sentía que estaba a punto de explotar con la fuerza de su erección y no tenía duda de que ella sentía lo mismo. El sofá estaba tras ella, prácticamente invitándolo a tumbarla y mostrarle lo fácil que sería alargar la mano y tocar las estrellas con los dedos.

Pero aquel no era el sitio más adecuado. Deseaba hacerle el amor a Bethany más de lo que había deseado nada antes, pero quería que fuera algo especial. No un acto primitivo en una habitación llena de recuerdos tristes.

A pesar de su resolución, necesitó toda su fuerza de voluntad para apartarse de ella.

—¿Por qué te paras? —preguntó ella, abriendo los ojos.

—No debería haber empezado.

—¿Crees que ésto ha sido un error?

—Yo no he dicho eso. Te he traído aquí para enseñarte la casa de muñecas, no para seducirte. Al menos no ahora mismo.

—Yo creo que no es buena idea ni ahora ni en otro momento —replicó ella, furiosa—. Lamento que esa casa de muñecas te traiga malos recuerdos, pero escribir sobre ellas es mi trabajo.

—Quizá tú puedas hacer que cambie de opinión —contestó él en voz baja, sorprendiéndola a ella y a sí mismo.

—No quiero que me uses como terapia, Nicholas —dijo ella, apartándose el pelo de la cara.

—No voy a utilizarte en absoluto, Bethany. Hagamos lo que hagamos, será de común acuerdo y te prometo que será inolvidable —susurró él. Lo que había ocurrido entre ellos, lo que ocurría cada vez que estaban juntos cada vez lo convencía más de que estaban hechos el uno para el otro. Si él no hubiera parado unos segundos antes, no sabía qué podría haber ocurrido—. Bueno, será mejor que vaya a buscar a Maree. Es hora de que Kylie se marche a su casa –añadió, para cambiar de tema–. ¿Qué ocurre, Bethany? ¿Hay alguien esperándote en Melbourne? –preguntó al ver el gesto de sorpresa de ella.

–No, no hay nadie.

–¿Lo había?

–Durante un tiempo creí que sí. Pero me había equivocado.

–¿Terminó mal?

–Fue un error por mi parte pensar que había empezado –contestó ella, dando un paso hacia la escalera.

–Quédate aquí para admirar la casa. Yo me encargaré de Maree. Es mi día libre –dijo él–. Te llamaré cuando esté lista la cena.

Bethany se rindió sin discutir, probablemente porque no podía resistir la tentación de examinar la maldita casa, pensaba Nicholas. ¿Por qué a las mujeres les gustaban tanto las miniaturas?, se preguntaba. Quizá despertaban sus instintos maternales.

Pero, desde luego, no despertaban los suyos, reflexionaba mientras bajaba la escalera y salía de la oficina. En el ático no había estado pensando en la casa; todo lo contrario. Mirar a Bethany había sido suficiente para olvidarse de ella.

Debería haber sabido que había un hombre en su pasado. Era demasiado guapa y encantadora como para no tener admiradores. Pero ella había hablado como si sólo se tratase de uno; uno en especial. Y no había que ser psicólogo para adivinar que la había herido. Ella había dicho que no quería servirle de terapia, pero quizá podrían ayudarse el uno al otro.

Con esa idea empezó a planear la noche. Primero le daría la cena a Maree y la metería en la cuna. Después, prepararía una cena tan maravillosa que Bethany no podría pensar en ningún hombre más que en él.

Velas, necesitaba velas, pensaba mientras colocaba los platos sobre la mesa una hora más tarde. Las encontró en un cajón, pero no encontró nada donde ponerlas y decidió colocarlas en unos vasitos de cristal, al lado del centro de flores que Kylie había colocado como centro de mesa. El efecto impresionaría a Bethany, pensaba mientras admiraba su habilidad.

Tarareando una canción, rebajó las luces del comedor y fue a buscar a su invitada.

–Te ha quedado precioso –exclamó ella al ver la mesa decorada–. Tengo que ir a cambiarme. Esto se merece algo más que unos pantalones cortos y una camiseta.

–Date prisa, la cena está casi lista –dijo él, pensando que estaba preciosa con aquella camiseta que se ajustaba magníficamente a sus curvas, pero decidió reservarse su opinión. Cuando, diez minutos más tarde, Bethany volvió vestida con un corto vestido negro que acentuaba más su silueta, se alegró de haberlo hecho. El vestido tenía un escote en forma de corazón y las tiras que lo sujetaban a sus hombros se cruzaban en su espalda. Durante el día, el sol la había bronceado y tenía un aspecto más apetitoso que la pasta y la ensalada que había preparado con tanto esmero. El vino era una reserva especial de Craiglea y, como postre, había frambuesas del valle con crema de coñac–. Por una mujer que me ha parecido especial desde el día que entró en mi dormitorio –brindó él. Era la verdad, pero Bethany se puso colorada al recordarlo.

–Sólo entré allí porque la puerta principal estaba cerrada –protestó ella–. No me quedé en tu dormitorio.

–Un problema que tiene fácil solución –dijo él, mirándola a los ojos. A la luz de las velas, Bethany parecía más pequeña, como un ángel. Lo único que esperaba era tener razón y que fuera un ángel *travieso.*

–Está riquísima –dijo ella probando la pasta. Aquella noche se había pintado los labios de color rosa y Nicholas no podía apartar la vista de ellos.

–Estás cambiando de tema.

–Estoy apreciando tus talentos.

–Te aseguro que yo estoy haciendo lo mismo.

Desgraciadamente, Maree eligió aquel momento para despertarse y jugar en la cuna. El ruido les llegaba a través del aparato que tenían conectado desde el dormitorio de la niña y los dos se levantaron a la vez.

–Yo iré –dijeron al unísono.

–Iremos juntos –sonrió él.

Maree estaba de pie sujetándose al borde de la cuna y mirándolos con una sonrisa orgullosa.

–Ya sé que puedes ponerte de pie, cariño. Es asombroso, pero ¿tienes que practicar a estas horas? –preguntó Nicholas.

–Está intentando demostrar que hace lo que quiere, Nicholas.

–¿Y qué puedo hacer yo?

–Vuelve a tumbarla y arrópala bien. Probablemente volverá a levantarse un par de veces, pero al final se quedará dormida. Es parte del juego de controlar el mundo. Ahora que nos ha mostrado que puede levantarse, tiene que aprender que también puede tumbarse sola.

Cuando volvieron al comedor, Nicholas empezó a pasarse la mano por el pelo.

–Con tantas interrupciones, no sé cómo las parejas consiguen tener más de un hijo.

–Tiene que haber una forma –rió ella, con aquella risa musical que él tanto apreciaba–. Si no, el mundo estaría lleno de hijos únicos.

–Un hijo único no es lo que yo quiero –dijo él, sirviendo más vino.

–¿Por qué no? –preguntó ella, tensa de repente.

–Cuando mi madre se marchó aprendí lo duro que es vivir solo.

–Pero tenías a tu padre y a tu hermano.

–Un padre que no quería ver a nadie y un hermano mayor que pronto se fue a la universidad, así que me pasaba casi todo el tiempo solo. Sólo cuando estaba con mi tía Edna me sentía feliz. Entonces me prometí a mí mismo que tendría una gran familia. Maree tendrá todos los hermanos y hermanas que yo pueda darle.

Bethany se había apartado un poco de la luz, de forma que él no podía ver su expresión, pero notaba la rigidez de su cuerpo.

–¿Y si no puedes hacerlo?

–Mi médico me ha dicho que, biológicamente, estoy capacitado para tener hijos –sonrió él–. La modestia me impide hablar sobre la parte técnica.

–Claro.

–¿Qué te pasa? –preguntó él, sorprendido por la frialdad de la respuesta–. ¿Los hijos no son importantes para ti?

–Es un poco pronto para que hablemos de hijos, ¿no te parece?

–Seguramente. Pero me gustaría saber que la mujer con la que quiero compartir mi vida está dispuesta a tener hijos. Aunque no inmediatamente, claro. Tú quieres tener hijos, ¿verdad Bethany? –preguntó, inclinándose hacia ella.

–¿Yo? No. Soy una mujer que vive de su trabajo y tengo muchos planes para mi revista.

–¿Y esos planes son lo primero, antes que una familia?

–Naturalmente –contestó ella, apartando la mirada–. ¿No lo sabías?

–Ha sido una presunción por mi parte –contestó él, con una nota de desilusión en la voz–. Pero la verdad es que no se me había ocurrido.

Capítulo 6

POR qué habría elegido Nicholas aquella noche para sacar el tema de los hijos?, se preguntaba Bethany a la mañana siguiente. Casi sentía tener la mañana libre, porque le dejaba demasiado tiempo para pensar. Nicholas había llevado a Maree al médico para hacerle una de sus revisiones periódicas y había rehusado su oferta de que la llevara ella. No había sido frío, pero su actitud había cambiado desde la noche anterior y estaba segura de cuál era la razón.

Él deseaba tener hijos y creía que Bethany no los deseaba. Imaginaba que habrían tenido que hablar del asunto más tarde o más temprano, así que quizá había sido lo mejor. Pero la noche anterior creía estar en el paraíso y volver a la realidad era un choque demasiado violento.

¿Hubiera sido mejor decirle a Nicholas la verdad, que ella deseaba tener hijos más que nada en el mundo, pero que no podía tenerlos?, se preguntaba.

Entonces recordó la reacción de Alexander cuando se lo había contado. Se había prometido a sí misma no volver a dejar que la humillaran y decirle que lo más importante para ella era su trabajo era mucho mejor que sentirse rechazada de nuevo.

Hubiera dado cualquier cosa por no haber tenido que ver la desilusión en sus ojos cuando le había dicho que no compartía su deseo de tener una gran familia. Antes de eso, Nicholas la había mirado como si ella fuera un regalo maravilloso, como si fuera la mujer a la que había estado esperando.

¿Volvería a mirarla de aquella forma alguna vez? No parecía posible, pero aunque así fuera, su conciencia no le permitiría esconderle la verdad, por dura que fuera. Era una situación frustrante, pensaba suspirando. Si había un hombre en el mundo que pudiera ser un buen padre, ese era Nicholas Frakes. Se merecía una mujer que pudiera compartir sus sueños y ella se merecía un hombre que la amase por ella misma. Aquello los separaba irremisiblemente.

Cuando sonó el teléfono, Bethany se sobresaltó.

–Soy Sam –dijo una voz alegre al otro lado del hilo–. ¿Cómo estás, hermanita? ¿Qué tal con el negrero de tu jefe?

–No es un negrero –rió ella–. Todo lo contrario. Ayer fuimos de excursión y hoy se ha llevado a Maree al médico, así que tengo toda la mañana libre.

–¿Cómo has conseguido un trabajo así? –preguntó su hermano–. Yo también lo quiero.

–¿Sabes cómo cuidar a una niña de un año?

–Me parece que no tengo nada que hacer –siguió bromeando su hermano–. Oye, Bethany... ¿tienes algún problema? –preguntó, poniéndose serio de repente.

–No. ¿Por qué?

–Porque he ido a buscar tu correo esta mañana y me he encontrado con una carta del Juzgado. Me dijiste que abriera todo lo que pareciera importante y ésta lo era tanto que he estado a punto de ponerme firme. Es un requerimiento para que pagues la factura de la imprenta en un plazo de quince días o te pondrán una demanda.

–Pero si la imprenta me debe dinero –exclamó ella–. Hice un depósito antes de imprimir los dos últimos números.

–¿Tienes el recibo?

–Les pedí que me lo enviaran, pero nunca lo hicieron.

–Ya sabes que hay que dejarlo todo por escrito, sobre todo cuando se trata de dinero.

–Menos mal que tengo este trabajo –suspiró ella–. Lo mejor será que les pague antes de que las cosas se compliquen aún más.

–¿Tienes dinero?

Aquella era una discusión que Bethany había querido evitar.

–Puedo pagar una parte. Y no pienso aceptar tu dinero, Sam. Tú lo necesitas para pagar a tus empleados.

–Para mí no es un problema pagar esa factura, Bethany –explicó él–. Además, ya les he enviado un cheque, así que no hay nada más que discutir. Sólo te he llamado para que supieras lo que pasaba.

–Sam, eres imposible, pero te quiero –dijo ella, con lágrimas en los ojos–. Gracias. Te lo devolveré en cuanto pueda.

–Sé que lo harás, aunque me niegue a aceptarlo. Bueno, especialmente si me niego a aceptarlo –rió su hermano–. Bueno, cuéntame. ¿Tu jefe ya te ha propuesto matrimonio?

–Es mi jefe, Sam, no mi novio. Y no va a proponerme nada. Además, él quiere tener muchos niños y... bueno...

–¿No sabe que tú no los puedes tener? –preguntó Sam. En su familia no había secretos. Nunca los había habido. El lema de su madre era: una pena compartida, es menos pena. Aunque, en aquel caso, no fuera cierto del todo porque al otro lado de la línea hubo un silencio–. No todos los hombres son iguales, Bethany. Si le das una oportunidad, es posible que ese Nicholas te sorprenda.

–Lo pensaré –dijo ella, esforzándose para que su voz sonara alegre. Aunque probablemente él se habría dado cuenta, Sam no discutió cuando ella decidió cambiar de conversación y hablar sobre sus padres y sus hermanos.

Cuando se despidieron, se sentía menos sola. Era lo bueno que tenía formar parte de una familia unida y Bethany podía imaginar lo solo que Nicholas se habría sentido durante su infancia. Esa era precisamente la razón por la que no pensaba privarlo de la familia que tanto deseaba. Era la mejor decisión. Pero le hubiera gustado que no le doliese tanto.

Nicholas tampoco parecía muy feliz cuando volvió con Maree de su visita al médico. Estaba muy serio mientras dejaba a Maree sobre la sillita y, al principio, Bethany pensó que quizá le pasaba algo a la niña.

–Está perfectamente –dijo él–. El médico me ha dicho que nunca ha estado mejor –añadió, sin mirarla.

La noche anterior, Bethany hubiera dicho que entre ellos estaba ocurriendo algo, pero las cosas habían cambiado. Desde que le había dicho que no quería tener hijos, él parecía haber erigido un muro que parecía infranqueable. Era de esperar, se decía. Diciéndole que su trabajo era lo primero, le habría hecho pensar que era una egoísta.

Le dolía que él se alejase de ella, pero era lo mejor. Mientras su supuesta frialdad crease un muro entre ellos, él nunca tendría que elegir entre ella y la familia que tanto deseaba tener.

–Parece que la niña es lo único que tenemos en común –dijo ella suavemente–. Ayer disfruté mucho de la excursión y de la cena, pero...

–Pero todo era demasiado doméstico para ti –la interrumpió él–. Ya dejaste eso claro anoche.

–Nicholas, no quiero hacerte daño, pero no puedo cambiar las cosas –dijo ella, poniendo la mano en su brazo y sintiendo inmediatamente una conexión entre ellos. En aquel momento le estaba diciendo la verdad, aunque sin darle explicaciones.

–Prefiero que me hayas dicho lo que piensas. Pero me gustaría saber una cosa. Si estás tan decidida a no dejar que los hijos interfieran con tus planes profesionales, ¿por qué estás aquí? ¿Por qué no estás trabajando para alguna de esas grandes editoriales?

–Ese tipo de trabajo no es fácil de conseguir.

–Entonces, ¿cuidar a Maree no es más que una forma de conseguir dinero?

–Sí –contestó ella, sin saber qué decir.

–Mentira.

–¿No me crees?

–No creo que seas el tipo de mujer fría y calculadora que pone su carrera por delante de su marido y sus hijos. Encontrarás la forma de combinar las dos cosas, estoy seguro. Esa revista sobre casas de muñecas es supuestamente tu pasión y, sin embargo, trabajas en un albergue para niños sin familia. Se supone que lo único que te interesa es tu trabajo y, sin embargo, has venido hasta aquí para cuidar de una cría a la que apenas habías visto durante una hora. No te creo, Bethany.

Estaba magnífico con aquel brillo furioso en sus ojos, como un caballo salvaje en las colinas. Frente a ella con las piernas separadas, sus pantalones tirantes por la agresiva postura, de forma que Bethany no podía evitar fijarse en su abrumadora masculinidad. Tenía las manos sobre los muslos y su expresión salvaje la alarmaba, aunque a la vez enviaba escalofríos de deseo por todo su cuerpo.

–Da igual que no me creas.

–Eres un misterio, Bethany y desentrañar misterios es precisamente mi trabajo. Tú me dices una cosa, pero en mis brazos, tu cuerpo me dice otra. Uno de los dos está mintiendo.

La expresión de su rostro le partía el corazón. Él quería respuestas y no pararía hasta conseguirlas, pero ella no podía decirle la verdad porque sabía lo que ocurriría. Había dos alternativas. Una, que él insistiera en que no le importaba que no pudiera tener hijos o que la rechazara de plano. Sabiendo cuánto deseaba Nicholas tener hijos no podía permitir la primera y sabía que no podría soportar la segunda.

–¿Te parece mal que disfrute de tus besos? –preguntó, intentando frivolizar–. Los hombres lo hacen siempre y no significa nada.

–Este sí significa algo.

Debería haberse dado cuenta de sus intenciones, pero la pilló desprevenida que él la tomara entre sus brazos. Su cuerpo estaba rígido al principio, pero en cuanto la tocó, el nudo que tenía en la garganta se disolvió y se derritió entre sus brazos. Tenía que hacer un esfuerzo para que sus sentimientos no se reflejasen en su cara.

Nicholas no intentaba disimular nada. Aquél no era más que un experimento científico para probar que sus besos despertaban en ella emociones verdaderas. Bethany sentía algo por él, de eso estaba seguro. Y, desde luego, él sentía algo por ella. Entonces, ¿por qué no quería que aquella relación se afianzase?, se preguntaba. Ella quería hacerle creer que lo que había entre ellos no era más que deseo, pero los dos sabían que no era verdad.

Pocos de los proyectos científicos que llevaba a cabo eran tan placenteros como aquel, pensaba mientras la obligaba a abrir los labios para él, mientras la acariciaba por encima de la delgada blusa, que le permitía sentir cómo temblaba con cada roce de sus manos. Estaba temblando y, por lo tanto, sentía algo, se repetía a sí mismo. Cuando metió la mano por debajo de la blusa, ella lanzó un gemido y él se aprovechó para hacer el beso más profundo, acariciándola con la punta de la lengua. Bethany cerraba los ojos con la cabeza hacia atrás, ofreciendo su cuello para que lo besara. Él apretaba los labios contra su garganta antes de empezar a bajar hacia sus pechos.

–Nicholas, no, por favor –susurró ella cuando él empezaba a desabrochar los botones de la blusa. Nicholas se apartó y ella volvió a abrochárselos, con dedos temblorosos. Cuando lo miró con los ojos llenos de lágrimas, Nicholas sintió como si le hubieran dado un puñetazo. La había hecho daño. Al principio se sentía como un canalla, pero un segundo más tarde se dio cuenta de algo: si podía hacerla daño, también podría curarla. Bethany no era tan inmune como pretendía–. ¿Estás satisfecho?

–¿Lo estás tú? –preguntó él a su vez. Cuando Bethany se dio la vuelta, Nicholas no pudo evitar apretarla contra su pecho de nuevo y besar su cabeza–. Perdóname. No debería haber hecho eso.

–Es culpa de los dos.

–De eso estoy hablando –dijo él, obligándola a darse la vuelta suavemente–. De nosotros.

–No hay un nosotros, Nicholas. No puede haberlo.

–¿Por qué no? Tú misma has dicho que no hay nadie esperándote en Melbourne.

–No he cambiado de opinión. Para mí lo más importante sigue siendo mi carrera.

Él maldijo en voz baja y se dio la vuelta para sacar a Maree de la sillita antes de salir de la cocina.

Un minuto más tarde, Bethany oyó el sonido de la puerta de roble de la oficina, desolada. Nada podía cambiar el hecho de que ella no podía darle lo que deseaba. Lo único que podía darle era libertad pero, si quería que él creyera que no estaba interesada, tendría que ser más convincente. Nicholas tendría que verla como una auténtica profesional con grandes planes para el futuro. Si no era así, seguiría intentando que admitiera que sentía algo por él. Y ese pensamiento la aterrorizaba.

Con esa idea, fue a su habitación y tomó una carpeta y la cámara que usaba para hacer las fotografías que aparecían en la revista.

—Ahora me enteraré de si eres o no una buena actriz —se dijo a sí misma frente al espejo.

Cuando entró en la oficina de Nicholas, él no se molestó en levantar la cabeza del ordenador. Maree estaba jugando en su esquina y la saludó con una serie de balbuceos.

—¿Te importa si tomo fotografías de la casa?

—Haz lo que quieras —contestó él, sin mirarla.

—Gracias. Estoy pensando en dedicarle un número completo —dijo ella, mientras subía la escalera. Después de apartar la sábana, empezó a tomar notas. En cualquier otro momento hubiera considerado un privilegio hacer lo que estaba haciendo, pero no podía dejar de pensar en Nicholas.

De todos los hombres del mundo, ¿por qué tenía que sentirse atraída por uno con tal instinto paternal?, se preguntaba. Para empeorar las cosas, su comportamiento con Maree era una de sus cualidades más atractivas. El corazón se le encogía cada vez que lo veía apretando a la niña contra su pecho. Aquel contraste entre la fortaleza y ternura lo convertía en un hombre especial.

Y también hacía que no pudiera haber futuro para los dos.

Bethany cerró el cuaderno de golpe. Su corazón no estaba en el proyecto. Quizá más tarde, cuando hubiera tenido tiempo de aceptar su decisión, podría empezar a escribir el artículo, pero no en aquel momento. Lo que sí podía hacer era tomar fotografías para apartar a aquel hombre de su mente. Dos rollos de película más tarde tenía tantas fotografías de la casita como para ilustrar dos números completos de su revista.

Nicholas seguía sentado frente al ordenador cuando bajó la escalera.

–Ya tengo todo lo que necesito por hoy, gracias –dijo, sin esperar respuesta.

–He estado pensado –dijo Nicholas, volviéndose hacia ella–. No es justo por mi parte esperar que te quedes aquí indefinidamente cuanto tienes otros... compromisos. Mañana tengo que ir a Melbourne para entrevistarme con el ministro y aprovecharé para buscar una niñera para Maree.

Entonces, pensaba Bethany con el corazón encogido, su interpretación había sido innecesaria. Él había creído que ella estaba únicamente interesada en su profesión.

–No hay ninguna prisa. No me importa quedarme hasta que encuentres a la persona adecuada.

–Gracias. Pero intentaré que no tengas que quedarte durante mucho tiempo –replicó él.

El ambiente era tan tenso que podía cortarse con un cuchillo. Nicholas estaba deseando librarse de ella y recordarse a sí misma que era precisamente por su decisión de hacer lo mejor para los dos no era ningún consuelo.

–¿Ya tienes todo lo que querías?

–Aún tienes que contarme la historia de la casa –le recordó ella.

En ese momento, la puerta de roble se abrió y una mujer espectacular apareció.

–Me han dicho que podría encontrarte aquí, Nicholas –dijo, lanzándose a sus brazos.

–¿Qué estás haciendo aquí, Lana?

Bethany sentía algo frío y duro en su interior. Aquella debía de ser Lana Sinden, la modelo con la que Nicholas había estado comprometido. Mirándola, creía estar viendo la portada de una revista, con aquella piel de porcelana y el pelo como una cascada dorada cayendo por su espalda.

–¿Quién es? –preguntó ella, señalando a Bethany.

–Lana, te presento a Bethany Dale. Bethany está cuidando de Maree.

–Vaya, por fin has encontrado una niñera –dijo la modelo.

–Bethany no es una niñera –corrigió Nicholas–. Me está haciendo un favor.

–Perdona, Bethany –dijo ella, levantando una perfilada ceja–. Debes de estar haciendo un trabajo maravilloso para mantener a Maree tan... tranquila –añadió, con una sonrisa que desarmaría a cualquiera–. Tendrás que decirme cómo lo haces.

–¿Estás pensando en volver a cuidar de mi hija, Lana? –preguntó Nicholas, escéptico.

–Ya sabes que no se me da bien –contestó ella–. ¿Podemos hablar en privado? –preguntó, mirando a Bethany con cierta desconfianza.

–Yo me marchaba de todas maneras –dijo Bethany–. ¿Quieres que me lleve a Maree, Nicholas?

–Sí –contestó Lana.

–No –corrigió Nicholas–. Y tú tampoco tienes que marcharte, Bethany. Lana y yo nos dijimos todo lo que teníamos que decirnos cuando hizo las maletas.

–¿Quieres decir que no vas a darme una oportunidad de pedirte disculpas?

–Haz lo que quieras, pero tenías razón. La vida en el campo y los niños no son para ti. No tienes que disculparte por ser sincera.

Lana se sentó con elegancia sobre el escritorio de Nicholas.

–Probablemente tienes razón. Había pensado que podríamos volver a empezar, pero veo que sigues tan cabezota como siempre.

–¿Por qué has vuelto, Lana? –preguntó él, cruzando los brazos sobre el pecho.

Lana miró primero a Bethany y después a Nicholas.

–Para recordarte tu promesa de que haríamos una sesión de fotos con Maree para la revista *Spellbound*. Quieren titularla «Una mamá muy sexy».

Bethany se sentía enferma. A Lana ni siquiera

se le ocurría pensar que Maree también era una persona, no un utensilio para su carrera. Nicholas, evidentemente, estaba de acuerdo porque negaba con la cabeza.

–Te lo prometí cuando vivíamos juntos y no voy a echarme atrás. Pero no voy a dejar que uses a Maree.

–Ya le he dicho que estabas de acuerdo –gimió ella, seductora–. No querrás que quede como una mentirosa después de lo que hemos sido el uno para el otro.

–No me tientes.

–Yo estaba contigo cuando la niña vino a vivir aquí –le recordó ella–. Y tenía que levantarme a todas horas por las noches.

–No sabía que te acordaras tan bien de la parte mala.

–Y no es así, pero me lo prometiste, Nicholas. No tardaremos mucho y Bethany puede estar con nosotros para asegurarse de que Maree es bien tratada.

–Maree no está aquí para hacerte de decorado.

–Por lo menos me dejarás usar Yarrawong como fondo para las fotos. ¿No?

–¿Y qué pasa entonces con lo de «Una mamá muy sexy»? –preguntó Nicholas, irónico.

–Tendrán que cambiarlo por «Una campesina muy sexy» o algo así –contestó ella, inasequible al desaliento.

–Muy bien. Te lo prometí, así que puedes hacer la sesión de fotos, pero no quiero que nadie moleste a Maree. Bethany estará aquí para asegurarse.

–Estupendo –dijo ella, levantándose para besarlo en los labios–. Muchas gracias, Nicholas. No sé qué haría sin ti.

–No tienes que seducirme, Lana –dijo él. Pero no parecía disgustado por el beso, pensaba Bethany. Por primera vez en su vida se sentía celosa. Era una sensación absurda, ya que ella misma se había descalificado como posible amante de Nicholas, pero no podía evitar sentir angustia al verlos juntos–. ¿Cuándo vendrán los fotógrafos?

–Mañana, si te parece bien. Sólo nos quedan un par de días para el cierre de la revista.

–Mañana yo tengo que ir a Melbourne.

–Entonces, tendré que llamar a la revista para atrasarlo –protestó Lana.

–No hace falta. No me necesitas para tu sesión fotográfica y tú conoces bien este sitio –dijo Nicholas–. ¿Estás de acuerdo, Bethany?

Pasar un día con Lana Sinden le recordaría todo lo que ella estaba dispuesta a abandonar, pensaba Bethany, pero con Nicholas en Melbourne no podía dejar a Maree en manos de la modelo.

–Me las arreglaré –contestó ella por fin, pensando que sería el último favor. Su regalo de despedida.

Capítulo 7

QUÉ pasa, Bethany? –preguntó Nicholas a la mañana siguiente, durante el desayuno–. ¿No te hace gracia quedarte sola con Lana y los fotógrafos? Podrías hacer buenos contactos para afianzar tu carrera.

Menuda profesional estaba hecha ella, pensaba. Ni siquiera se le había ocurrido pensar en eso.

–Tienes razón. Será estupendo ver a unos expertos en acción.

–Recuerda que estás a cargo de todo –dijo él, levantándose–. Lana puede ser muy insistente cuando quiere algo.

El recuerdo de que él conocía muy bien a Lana la hizo sentir un escalofrío. No podía creer que fuera tan indiferente a la modelo como aparentaba. Lana había sido la que había cortado la relación, así que quizá aquella era su forma de vengarse.

–Es una pena que no puedas quedarte para ver la sesión.

–Ya lo he visto muchas veces. No consiste más que en horas y horas de espera, después una actividad frenética y de nuevo, a esperar. No es muy divertido para el que está mirando –dijo él acercándose–. Aunque estoy seguro de que tú sí vas a disfrutar.

–Claro –susurró ella. Él no lo sabía, pero Bethany sólo agradecía la llegada de los fotógrafos como un medio para pasar las horas. Aquella sería la primera vez que se separaban durante todo un día y no le gustaba la idea de estar sin él. Sin poder evitarlo, lo miraba con el mismo ansia con el que Maree devoraba su desayuno.

El traje azul de Armani le hacía parecer más ancho de hombros y le daba a su cuerpo un tremendo aspecto de firmeza. Cuando se inclinó para tirar la servilleta a la basura, los pantalones se estiraban sobre su trasero y Bethany sintió que se le doblaban las rodillas.

Aquello tenía que terminar. Pronto estaría de vuelta en Melbourne y él sería un recuerdo del pasado. La idea hacía que se sintiera enferma.

–Estás muy pálida –dijo él, tomándola del brazo–. ¿Te encuentras bien?

–Sí –mintió, soltando su brazo–. ¿No es hora de que te vayas?

–¿Estás deseando que me vaya? –preguntó él, endureciendo la expresión.

–Dile adiós a papá, Maree –dijo ella, dándose la vuelta.

Bethany levantó la mano de la niña para que se despidiera de su padre y Maree balbuceó algo.

–Sé una buena chica –dijo él, besándola en la cabeza–. Que os divirtáis.

–Te despediremos en la puerta –dijo Bethany, como por impulso, sacando a Maree de la sillita.

Era una escena tan familiar que se le hizo un nudo en la garganta. Podría ser una esposa con su hija en brazos, despidiéndose de su marido. La belleza de la fantasía era abrumadora, pero una fila de coches entraba en ese momento en la propiedad, rompiendo el hechizo. Nicholas frunció el ceño mientras salía del Porsche y aún más cuando Lana salió del primer coche y se lanzó a sus brazos.

–Cariño, cómo me alegro de que estés aquí. Ven, voy a presentarte a todo el mundo –dijo, llevándolo del brazo hacia el grupo de gente que salía de los coches, cargando con lo que parecía una tonelada de equipo fotográfico.

Nicholas no parecía muy contento, pero sonrió mientras ella hacía las presentaciones, sin soltar la mano que ella sujetaba cariñosamente.

Bethany no tenía ningún deseo de acercarse al grupo. Su trabajo era cuidar de Maree; sólo eso, se decía a sí misma entrando de nuevo en la casa.

Mientra Nicholas saludaba al equipo, vio que Bethany entraba en la casa y tuvo que dominarse para no ir tras ella, sabiendo que la mano que sujetaba la suya no era la que quería sujetar. Lana era preciosa, de eso no había ninguna duda. Pero su trabajo era estar preciosa. Sin embargo, Bethany era una belleza natural.

Apenas llevaba maquillaje porque no lo necesitaba, igual que no necesitaba llevar ropa de diseño para acentuar su belleza. La sencilla falda de algodón y la camiseta ajustada le hacían desear llamar al ministro para decirle que no podía ir a Melbourne aquel día.

Aquel pensamiento lo sorprendió. ¿Por qué no sentía lo mismo por Lana, que era la modelo más cotizada de Australia?, se preguntaba, suspirando. Lana era una mujer bellísima y muy deseable, pero no sentía por ella lo que sentía por Bethany.

Con Bethany tenía la impresión de que, además de una mujer maravillosa, sería una amiga para siempre. Lo que a Lana le gustaba o le dejaba de gustar cambiaba con las modas, sus amigos dependían del momento.

Aquel grupo de gente, por ejemplo. Lana decía que eran sus amigos, pero cuando terminase la sesión fotográfica probablemente no volvería a verlos.

Bethany no era así. Ella era el tipo de persona que se llevaba a casa un niño que no había encontrado una casa de acogida y él también sabía que, bajo su aspecto sereno, había un volcán.

–¿Por qué sonríes? –preguntó Lana–. Parece como si no estuvieras aquí.

–Y no debería estar –dijo él, soltando su mano.

–¿No puedes quedarte un par de horas? –preguntó ella, mimosa–. Me gusta trabajar cuando estás delante.

–Lo harás muy bien sin mí –dijo él–. Y Bethany estará aquí mismo para que no os falte de nada.

–Pero me faltarás tú –insistía Lana–. Ya veo que has encontrado alguien que ocupe mi lugar.

–Bethany no ocupa el lugar de nadie –corrigió él, molesto–. Sin la ayuda de Bethany no hubiera podido terminar el proyecto a tiempo.

–Está un poco gordita, ¿no? –preguntó ella.

Comparada con la delgadez de Lana, Bethany era una mujer llena de curvas, pero Nicholas no lo consideraba un defecto. Todo lo contrario.

–No es gordita, Lana. Es una mujer de carne y hueso –dijo él, irritado–. Yo creo que tú estás un poco delgada, la verdad.

–No decías eso antes –sonrió ella.

Quizá no lo había dicho, pero lo había pensado muchas veces.

–Estaría distraído –replicó él.

–Se me da bien distraerte, ¿verdad, cariño? –preguntó ella, melosa.

–Eso parece. Debería haber salido para Melbourne hace diez minutos.

Como había pretendido, el supuesto piropo que no lo era en realidad, la desarmó y Nicholas pudo volver a su coche. Pero no era la imagen de Lana en la que iba pensando mientras conducía por la autopista. Era la imagen de Bethany sosteniendo a la pequeña Maree en sus brazos lo que le hacía desear dar la vuelta

¿Cómo una persona tan maravillosa con los niños podría estar tan convencida de no querer tener los suyos propios?, se preguntaba. Era el único defecto en una mujer que lo atraía más de lo que lo había atraído ninguna otra.

Era lógico que quisiera dedicarse a su trabajo y a él no le importaría nada compartir las tareas de la casa y los hijos con su pareja si ambos eran felices, pero todas las imágenes que había tenido de su futuro desde pequeño incluían la paternidad. No quería que el resto de su vida fuera tan solitaria como lo había sido parte de su infancia. Y se negaba a creer que esa fuera la elección de Bethany.

Aquella insistencia suya en que lo único importante era su trabajo no podía ser cierta. Combinar carrera y familia sería más lógico que insistir en que en su vida no había sitio para los hijos.

Quizá lo que había querido decir era que no quería tener hijos con él, pensó de repente. La idea era dolorosa, pero tenía que considerarla. No, no podía ser. Si él la disgustara, no se derretiría entre sus brazos.

Tenía el presentimiento de que aquel rompecabezas iba a perseguirlo durante todo el camino hasta Melbourne.

Algunas mujeres lo tenían todo; belleza, cerebro para los negocios y la habilidad para enamorar a todo el mundo, pensaba Maree mientras volvía dentro de la casa con Maree. La imagen de Nicholas y Lana seguía repitiéndose en su mente. Sin duda, sería además tan fértil como una coneja, pensaba. Un pensamiento muy poco caritativo.

Kylie se había tomado el día libre para visitar a su abuela, pero había dejado mucha comida preparada y Bethany se encargó de ofrecer al equipo café y bocadillos.

–Están estupendos, gracias. Normalmente, no nos tratan tan bien –dijo uno de los miembros del equipo, con la boca llena–. Y el paisaje es precioso. No sé a qué revista lo vamos a vender, pero Lana ha elegido un buen sitio.

–¿No están haciendo una sesión para la revista *Spellbound*? –preguntó Bethany, sorprendida.

–Bueno, la verdad es que nos ha contratado la propia Lana. Creo que los de la revista quieren ver las fotos, pero no hay ningún contrato todavía.

Aquello no era lo que Lana le había contado a Nicholas, pero explicaba la desilusión de la modelo cuando él le había dicho que no estaría. Quizá lo que deseaba era retomar la relación sentimental con él.

Un poco más tarde, Bethany volvió a la casa para meter a Maree en la cuna y trabajar un poco en su artículo sobre la casa de muñecas.

–¿Tienes que irte? –preguntó Lana–. Nicholas me ha contado que eres la editora de una revista especializada en miniaturas. Deberías hablar con Grayden Nichols. Él podría abrirte muchas puertas.

–He visto su trabajo en muchas revistas, pero no es esa mi línea de trabajo.

–¿Y cuál es entonces? ¿No serán los niños?

–Nunca se sabe.

–¿Quieres decir que te gusta cambiar pañales y limpiar mocos?

–Alguien tiene que hacerlo, ¿no te parece?

–Estoy segura de que yo nunca fui tan molesta como Maree –dijo Lana, con un gesto de desagrado.

–Maree no es molesta –replicó Bethany, acariciando la cabeza de la niña–. Es una niña muy buena, ¿verdad, cariño?

En ese momento, un flash iluminó la escena y el

fotógrafo se acercó a ellas cámara en mano, con gesto triunfante.

–¡Ya está!

–¿No me diga que nos ha hecho una fotografía? –preguntó Bethany–. Estoy horrible.

En contraste con el precioso mono azul de diseño que llevaba Lana, Bethany tenía aspecto de campesina, o eso pensaba ella.

–Tienes una imagen muy fresca y natural. Yo te encuentro preciosa.

–Sí, como una virgen con su hijo –sonrió irónica Lana–. Ah, por cierto. Le prometí a Nicholas que me haría algunas fotografías con Maree... para su álbum de fotos –añadió, cuando vio que Bethany iba a protestar.

Nicholas se había negado a que le hicieran fotografías a la niña para publicarlas en una revista, pero no le había dicho nada sobre unas fotografías para su álbum. Como Bethany no creía que Lana mintiera tan descaradamente, no dijo nada, pero se sentía incómoda al ver a la modelo con la niña en brazos.

Maree tampoco parecía muy contenta. En cuanto Lana la tomó en brazos, la niña empezó a gritar y la modelo empezó a darle golpecitos en la cabeza como si fuera un cachorro.

–Vamos, vamos, pórtate bien mientras hacemos las fotos –decía la impaciente modelo. Bethany empezó a mover unas llaves de plástico frente a su cara para que Maree dejase de llorar y la niña alargó la manita y se las metió en la boca–. No, en la boca no. Vamos, sonríe –exclamó Lana, irritada.

Las llaves cayeron al suelo y Maree se puso a llorar y a agitarse, como si quisiera tirarse de los brazos que la sujetaban–. ¿Puedes hacer que se quede
quieta un minuto, Bethany?

–No creo. Además, si la fotografía es para el álbum familiar, ¿qué más da que sonría o no?

–Tengo una reputación, perdona. ¿Es que no
puedes hacer nada para que se calme?

–Puedo meterla en la cuna, que es lo que debería hacer –contestó Bethany, con los dientes apretados. Si aquella mujer seguía quejándose de la
niña, se la llevaría dentro quisiera Nicholas o no.

Afortunadamente, Maree empezó a calmarse y
se quedó quieta mirando a Bethany con sorpresa,
como preguntándose por qué no le daba el juguete
que había en el suelo. En ese momento, Lana le
quitó el gorrito que llevaba y lo tiró al suelo.

–Este sombrero es un horror –exclamó. Mientras lo tomaba del suelo, Bethany empezó a decir
que era necesario para proteger a la niña del sol,
pero en ese momento Lana se alejaba con Maree
en brazos hacia unos eucaliptos–. ¿Aquí estoy
bien?

–Eres la viva imagen de la belleza –susurró el
fotógrafo, sin parar de hacer fotografías. Unos segundos más tarde le hizo un gesto al iluminador
para que colocase una pantalla a un lado de Lana–.
Genial, dale la vuelta hacia mí un poco, eso es. Estás preciosa –añadió, haciendo un gesto hacia la
niña, que parecía fascinada por tanto movimiento–.
La revista va a alucinar. Esta niña tiene mucho ta-
lento.

Sin pensar, Bethany se colocó entre el fotógrafo y Maree.

–La revista no va a ver estas fotografías –dijo, mirando a Lana–. Me dijiste que eran para Nicholas. Maree no es una atracción de feria.

–¿Es que no ves que le gusta posar? –dijo Lana, irritada–. Además, prácticamente es mi hija. O lo será cuando Nicholas y yo volvamos a estar juntos.

–Lo que hagas con Nicholas es asunto tuyo, pero él me ha dejado a cargo de la niña y no quiero que pose para más fotografías –dijo Bethany, con el corazón en la garganta por aquella afirmación.

–Sólo haremos un par de fotografías más –insistía Lana.

En ese momento, la niña empezó a llorar de nuevo, tan harta de la modelo como la propia Bethany. Nicholas podía haberle advertido que pensaba retomar su relación con ella, pensaba irritada. La idea de que una mujer como aquella fuera un día la madre de Maree le partía el corazón y, sin pensarlo más, Bethany volvió a ponerle el sombrero y se la quitó de los brazos para que dejara de llorar.

–Vamos, cariño, ya se ha terminado. ¿Estás mejor?

–Ah, ah, ah.... –balbuceaba la cría, mirándola alegremente.

–Voy a meterla en la cuna –dijo Bethany sin disimular un gesto de desaprobación–. Por cierto, ¿cómo te vas a arreglar cuando tengas tus propios hijos? –no pudo evitar preguntar antes de marcharse.

–No pienso tener ninguno –contestó Lana, abanicándose–. Con Maree ya tengo más que suficiente.

Pero aquello no era suficiente para Nicholas, pensaba Bethany mientras entraba en la casa. Recordaba muy bien su reacción cuando ella le había dicho que no quería tener hijos. Aquello había roto cualquier esperanza de un futuro en común.

Bethany casi tenía que obligarse a sí misma a no sonreír mientras cambiaba a Maree. Si Nicholas se casaba algún día, no sería con Lana Sinden, de eso estaba segura. La idea de una reconciliación no era más que un sueño por parte de la modelo.

En ese momento, la gente del equipo empezaba a guardar el material en los coches.

Lana parecía querer esperar a que Nicholas volviera, pero el fotógrafo se mostraba impaciente.

–El tiempo es dinero, cariño –le recordó él–. Si nos quedamos, no podremos presentar las pruebas mañana a la revista.

Lana entró en el coche a regañadientes y bajó la ventanilla, para hablar con Bethany.

–Dile a Nicholas que le llamaré esta noche y hablaremos de nuestros planes.

–Se lo diré –dijo Bethany. Unas horas antes, se hubiera sentido furiosa pero, en aquel momento sabía que Lana no era la mujer adecuada para él, así que no hacía falta perder el tiempo con celos.

–Pareces mucho más contenta que cuando me marché esta mañana –dijo Nicholas un poco más tarde, entrando en la cocina. Parecía cansado, pero tenía un aspecto tan viril que su corazón dio un vuelco.

–Es porque se han ido los de la revista.

–¿Se han puesto muy pesados? –rió él.

–Ahora comprendo cómo debía sentirse Cenicienta.

–No tenías por qué haberlos atendido.

–Quería echar una mano.

–Trabajar para esa gente debe ser mucho peor que cuidar niños.

Bethany se pensó la respuesta. Si asentía, arruinaría su imagen de persona dedicada a su trabajo y, sin embargo, no podía mentir.

–Cuidar niños es un trabajo divertido. A Maree le ha encantado posar para la cámara.

–¿Qué? Te di instrucciones para que Maree no posase y esperaba que tú te hubieras asegurado de ello.

–Un momento –dijo ella, molesta por la censura–. Según Lana, las fotografías eran para tu álbum familiar.

–¿Y no se te ha ocurrido pensar que Lana estaba mintiendo para salirse con la suya? No sería la primera vez.

–Pues sí se me ocurrió, pero no podía decírselo delante de todo el mundo porque no estaba segura de que fuera así. Sólo se hicieron un par de fotografías antes de que la rescatase.

Bethany se sentía tentada de contarle lo que Lana había dicho sobre ser la futura madre de Maree. Estaba segura de que era una fantasía, pero re-

velaría el interés que sentía por los sentimientos de
Nicholas hacia Lana y no quería que él lo descubriera.

–Parece que has sabido encargarte de Lana –dijo
él, sentándose en una silla.

–Gracias. He dado de cenar a Maree y la he ba-
ñado. Ahora está dormida.

–Supongo que estará cansada después de tanto
movimiento –dijo él, frotándose los ojos–. Y la
comprendo perfectamente.

–¿Qué tal ha ido la reunión?

–El ministro sabe lo que quiere, pero el resto del
comité va a tener que refrescar sus conocimientos
sobre tecnología. La mayoría de ellos cree que es
suficiente con comprobar si hay micrófonos en una
habitación para tener una reunión del más alto nivel político. Cuando les dije de cuántas formas podían espiar lo que decían desde una manzana de
distancia se quedaron helados –explicó él–. Pero
eso ha creado un clima favorable para mi propuesta,
que ha sido aceptada inmediatamente.

–Enhorabuena. Tu esfuerzo ha dado resultado.

–Eso no ha sido lo único que he hecho mientras
estaba en Melbourne, Bethany.

–¿Qué quieres decir? –preguntó ella, sorprendida por el cambio en su tono de voz.

–También me he enterado de cuál es la razón
por la que insistes en mantener la distancia entre
nosotros.

Capítulo 8

UN escalofrío la recorrió, a pesar de la buena temperatura que había en la cocina. ¿Cómo demonios podría haber descubierto que no podía tener hijos?, se preguntaba. Bethany pensaba que aquello sería el final de su relación con Nicholas.

–Es por tu tío ¿verdad? –preguntó él.

–¿Cómo? –preguntó ella a su vez, perpleja.

–Sabía que estabas escondiéndome algo –dijo Nicholas, acercándose a ella– y me imaginaba que tendría algo que ver con la casa de muñecas. Así que he ido a visitar a un pariente de mi madre, que vive en una residencia de Melbourne y le he sacado información. Se quedó sorprendido al verme después de tanto tiempo y su memoria no es muy de fiar, pero recordaba suficientes cosas como para que yo sumara dos y dos.

–¿Qué quieres decir? Nicholas, no sé de qué estás hablando.

Él la tomó en sus brazos con delicadeza y la apretó contra él.

–Puedes dejar de fingir, Bethany. Sé que el hombre con el que mi madre se marchó era tu tío.

Bethany creía haber oído mal, pero no sabía si

era por lo que él estaba diciendo o porque la tenía entre sus brazos.

–¿Mi tío? ¿Qué estás diciendo?

–¿No lo sabías? –preguntó él, levantando su barbilla con un dedo.

–Sabía que mi tío Seth se casó y se fue a vivir a Inglaterra, pero nunca conocí a su mujer. Me imaginaba que habría habido algún tipo de escándalo porque mi familia nunca quería hablar de ello, pero yo era una niña cuando ocurrió. Él fue el que me habló sobre la casa de muñecas de los Frakes.

–¿Y nunca te preguntaste por qué sabía tantas cosas sobre ella?

–Él fue quien hizo mi primera casa de muñecas. Era su pasión, lo sabía todo sobre ellas, pero nunca me pareció extraño que sintiera tanto interés por esa casa en particular.

–La casa fue lo que le trajo a Yarrawong, pero no lo que lo hacía volver una y otra vez –dijo Nicholas, con expresión endurecida–. Supongo que su relación con mi madre debió empezar en la primera visita. Él es el hermano de tu madre, ¿verdad?

–Sí. Se llama Seth Baker.

–Lo sé. Nunca olvidaré su nombre, aunque no sabía nada sobre él. Pero el pariente de mi madre sabía suficiente como para darme un par de pistas y así he establecido la relación entre ese hombre y tú.

–Lo siento, Nicholas –susurró–. No tenía ni idea.

–¿No pensarás que te culpo a ti por lo que ocurrió? Si de alguien es la culpa, es de mi padre por despreocuparse de su matrimonio de forma que mi madre se viera impulsada a buscar el amor en otro hombre –dijo Nicholas, apartando un mechón de pelo de su cara–. Creí que contándotelo las cosas cambiarían entre nosotros, pero nada ha cambiado, ¿verdad?

Bethany dio un paso atrás. Se sentía turbada por el descubrimiento, pero nada había cambiado.

–Me alegro de que me lo hayas contado –dijo ella.

–Pero no nos ayuda en absoluto, ¿verdad? –anticipó él con frialdad. La oscuridad de sus ojos le decía que había estado esperando que aquella noticia obrase el milagro entre ellos. Pero sólo un milagro haría que ella se quedase.

–Ya te he explicado las razones por las que quiero volver a Melbourne. Eso no ha cambiado.

El silencio se hizo más tenso hasta que él sacó de su maletín un montón de viejos papeles.

–Entonces será mejor que te dé estos papeles –dijo él.

–¿Qué es ésto?

–Son los planos de la casa de muñecas. Mi abogado los tenía guardados junto con otros papeles de mi familia.

En lugar de sentirse alegre por aquello, la generosidad de Nicholas hacía que se sintiera peor.

–Son los planos originales. Deben de ser muy valiosos.

–Tómalo como un préstamo. Me los devolverás cuando hayas terminado tu artículo –dijo él, aclarándose la garganta–. Si ofreces copias a tus lectores, la tirada de la revista aumentará un poco.

–¿Un poco? ¿Tienes idea del valor que tienen estos planos para un coleccionista de miniaturas?

–Me alegro de haber encontrado por fin la forma de hacer que te emociones –dijo él con cierto cinismo.

Si supiera que se había sentido emocionada desde el primer día, pensaba Bethany. La oferta de aquellos planos no era ni la mitad de emocionante que su proximidad.

–Es una oferta muy generosa, pero no puedo aceptarla.

–¿Por qué no? –preguntó él, impaciente–. Eso es lo que quieres, ¿no? Hacer que tu revista sea un éxito.

–Eso es lo que quiero, sí –asintió ella, sabiendo que era lo que él esperaba oír–. Pero no de esta manera.

–¿Porque no quieres que tenga nada que ver conmigo? –preguntó él con una expresión helada en los ojos.

–¿Cómo puedes pensar eso? –preguntó ella, angustiada, sin darse cuenta de que su expresión revelaba más de lo que hubiera querido–. Me encanta tener la oportunidad de publicar los planos originales, pero eso crearía demasiado interés sobre la casa y creí que no querías que la gente empezara de nuevo a llamar a tu puerta.

–Lo soportaré. Ya soy mayorcito –dijo él.

–¿Te arriesgarías a soportar hordas de coleccionistas llamando a tu puerta por mí?

–Uno de los dos tiene que demostrar lo que siente. Me importas mucho y si la forma de demostrártelo es volver a exhibir esa maldita casa de muñecas, estoy dispuesto a hacerlo.

Hasta dónde podría llegar ella para demostrarle lo que sentía por él era la pregunta implícita en aquella respuesta. Hasta el final del mundo, le hubiera gustado decirle. Ya lo estaba haciendo, pero el éxito dependía de que él no conociera su sacrificio. Bethany se encogió de hombros, aunque su corazón parecía estar partiéndose en dos.

–Entonces no puedo rehusar tu oferta, aunque no sé cómo podré pagártelo.

–Yo sí sé cómo puedes hacerlo –dijo él, mirándola a los ojos.

Ella también, pero se sintió alarmada ante la idea de que él volviera a besarla. Desde que había vuelto a casa, había tenido que soportar el dulce tormento de imaginar los brazos del hombre alrededor de su cuerpo mientras ella se apretaba contra él, recibiendo el sensual calor que irradiaba. Había necesitado toda su fuerza de voluntad para mantener las distancias e incluso darle un beso de agradecimiento sería jugar con fuego.

Sólo había una forma de no revelar cuánto le importaba. Besarlo como si sólo fuera una muestra de aprecio por su generosidad. Bethany tomó aire, se puso de puntillas y lo besó en la mejilla. O, más bien, lo hubiera besado en la mejilla si él no hubiera vuelto la cara en el último segundo.

Instantáneamente, lo que hubiera sido un beso amistoso, se convirtió en una exploración de sus labios. Una ola de deseo la llenaba por completo al contacto con el hombre y, sin pensarlo, rodeó su cuello con los brazos.

Él la mordisqueaba en el cuello hasta que la temperatura empezó a aumentar. De repente, la ropa la molestaba y su corazón latía desesperadamente.

–Hace calor –protestó ella débilmente.

–Yo podría hacer que sintieras aún mucho más calor –susurró él, enredando los dedos en su pelo–. Sabes que te deseo, Bethany. Y, aunque intentes disimularlo, sé que tú sientes lo mismo.

Entonces, ella intentó soltarse; un error porque él la apretó más fuerte contra sí y Bethany no pudo dejar de notar que él estaba más que preparado para hacer lo que decía.

–Nicholas, no podemos hacer esto –dijo por fin, poniendo las manos sobre el firme torso masculino.

–¿Por qué? –preguntó él, sin apartar los labios de su frente–. Los dos somos libres y adultos. Si estás preocupada por los hijos que te he dicho que quería tener, no te preocupes. No tengo prisa. Me aseguraré de que usamos protección hasta que estés preparada.

Había hecho aquella promesa para que ella se sintiera mejor, pero sin darse cuenta hacía que su desesperación llegara al límite. No podía negarse a sí misma que lo deseaba, pero acababa de recordarle la razón por la que no podía flaquear.

–Lo siento, Nicholas –dijo ella, apartándose de golpe.

Él dejó caer los brazos, pero apretó los puños, irritado.

–Nunca podremos estar juntos, ¿verdad, Bethany?

–Es mejor así –contestó élla, sintiéndose la mujer más infeliz del mundo.

–¿Por tu carrera? –preguntó él, incrédulo–. ¿Desde cuándo una carrera es incompatible con una relación sentimental? El mundo está lleno de mujeres y de hombres que trabajan y tienen una familia.

En ese momento, Maree empezó a llorar.

–Será mejor que vaya a ver qué le ocurre –susurró ella, pasándose la mano temblorosa por el pelo.

–Iré contigo.

La decoración de la habitación reflejaba todo el amor que sus padres habían sentido por Maree. Las paredes estaban decoradas con murales infantiles y el techo estaba pintado con nubes. Era prácticamente un monumento a todo lo que Bethany nunca podría tener. Pero, en cuanto tocó a la niña, todo aquello desapareció de su mente.

–Tiene fiebre –dijo, alarmada.

–Es verdad –asintió él, tocando su frente–. Voy a buscar un termómetro.

Cuando volvió, un minuto más tarde, Maree tenía la carita roja y respiraba con dificultad.

Cuando le quitaron el termómetro, se dieron cuenta de que su temperatura estaba varios grados por encima de lo normal y empezaron a quitarle la ropita.

–Traeme una toalla mojada –dijo Bethany. Él hizo lo que le pedía y envolvieron a la niña en la toalla durante unos minutos.

–¿Qué le pasa?

–No soy enfermera, pero me parece que le ha dado demasiado el sol. En cuanto le baje un poco la temperatura la llevaremos al hospital.

–¿Cómo ha podido pasar esto?

–Sólo estuvo bajo el sol unos minutos, mientras Lana se hacía las fotografías con ella –contestó Bethany–. Es culpa mía.

–No es culpa tuya –dijo él–. Debería haber sabido que Lana haría algo así. Nadie puede hacerle cambiar de opinión cuando ha decidido hacer algo. Si hay algún culpable, soy yo por dejarla venir, pero te garantizo que no volverá a pasar –añadió Nicholas acariciando a la pequeña–. ¿No te parece que le ha bajado un poco la fiebre?

–Yo también lo creo –contestó Bethany poniendo la mano en la cabecita de Maree–. Lo mejor será que vayamos al hospital.

–Voy por el coche. Te espero en la puerta.

Bethany guardó ropita de la niña y algo de ropa para ella en caso de que tuvieran que quedarse toda la noche en hospital. Pero iba tranquilizándose a medida que pasaban los minutos, porque Maree recuperaba el color y parecía respirar con más normalidad.

–No nos podemos arriesgar contigo, pequeñaja, ¿verdad? –susurró mientras salía con ella en brazos de la habitación. Nicholas colocó a la niña en el asiento trasero y agradeció que Bethany se sentara a su lado para acariciarla.

–¿Es la primera vez que se pone enferma? –preguntó.

–Sí, pero me habían advertido que los niños tenían todo tipo de problema.

–Pero salen de todos ellos –dijo Bethany.

Nicholas permaneció un poco angustiado hasta que el médico les confirmó que no era más que una pequeña insolación.

–Hizo muy bien envolviéndola en una toalla mojada –le dijo a Bethany–. ¿Tiene experiencia en el cuidado de niños?

–Sí. Trabajo en un albergue de Melbourne.

El joven médico sonrió y volvió a agradecerle su rápida reacción, antes de salir de la sala de urgencias.

–No sé por qué ha insistido en que la niña pase aquí la noche –dijo Nicholas cortante mientras volvían a la sala de espera–. Él mismo ha dicho que está bien.

–Sólo está siendo precavido –dijo Bethany.

–Estaba coqueteando contigo –replicó él.

–Eso da igual. Yo creo que ha hecho bien, aconsejando que Maree pase la noche bajo la supervisión de las enfermeras. Así, por la mañana estaremos seguros de que no va a tener una recaída –dijo ella, estirándose perezosamente–. Justo lo que necesitaba. Pasar una noche en el hospital después del día que he tenido.

–No tenemos que quedarnos. Hay un hotel frente al hospital.

–No es necesario... –empezó a decir ella.

–Vamos. No podemos dormir sentados en una silla. Es absurdo que nos quedemos aquí.

–Pero no hace falta. Mi trabajo es cuidar de Ma-

ree –protestó ella. Lo que le daba miedo era la idea
de pasar la noche en un hotel con Nicholas.

–Volverás a cuidar de ella mañana –dijo él, levantándose y tomando la bolsa. El hotel estaba a
un paso del hospital, pero había un problema: sólo
tenían una habitación libre–. De acuerdo –aceptó
Nicholas, sin consultarla.

Bethany se había dado cuenta de la angustia que
Nicholas había sentido en el hospital y, cuando estaba firmando el registro del hotel, se fijó en que le
temblaban las manos. La preocupación por él hizo
que se olvidara de todo lo demás.

–¿Qué te pasa, Nicholas? –preguntó cuando es-
tuvieron solos. La habitación no era grande y tenía
que hacer un esfuerzo para no mirar la enorme
cama que parecía ocupar todo el espacio.

–¿Quieres una copa? –preguntó él a su vez con
voz ronca.

–No, gracias. Estoy preocupada por ti –dijo
ella–. Es Maree, ¿verdad? Estará bien por la mañana...

–Lo sé –la interrumpió él.

–Entonces, ¿qué te pasa? Te tiemblan las manos.

Él las miró, como si las viera por primera vez en
su vida. Bethany se daba cuenta de que intentaba
calmar el temblor, pero no podía.

–He pasado mucho miedo. Es la primera vez
que Maree se pone enferma –dijo por fin, cerrando
los ojos.

Bethany sintió que su corazón daba un vuelco.
Había perdido a su hermano y tenía miedo de per-

der también a su sobrina. Sin pensar, se acercó a él
y lo abrazó, apoyando la cabeza en su hombro. Su
cuerpo estaba rígido y podía sentir el dolor de
Nicholas como si fuera suyo.

–Maree se pondrá bien. ¿No creerás que un médico tan guapo y tan joven como ese mentiría a una
mujer con la que está coqueteando?

Como ella pretendía, la broma hizo que Nicholas se relajase.

–Así que, ¿sabes mucho sobre médicos jóvenes
y guapos?

–Son los pilares de la sociedad –contestó ella,
sonriendo.

–Y dirían cualquier cosa para conseguir las chi-
cas que quieren –añadió él–. Lo sé muy bien.

–¿También has sido médico?

–No. Pero he sido joven.

–Y sigues siendo muy guapo –aseguró ella–.
¿Eso significa que mentirías para llevarme a la
cama contigo?

–Nunca he te he mentido, Bethany y nunca lo
haré –contestó él, mirándola como si quisiera gra-
bar sus rasgos en su memoria.

–Estaba bromeando –dijo ella, asustada por su
intensidad–. Pero me alegro de que te sientas mejor.

–Yo te enseñaré lo bien que me siento –susurró
él, abrazándola con fuerza. Antes de que ella pudiera reaccionar, Nicholas la tomó en brazos y la
llevó hacia la cama.

–No me refería a ésto –protestó ella.

–Y tampoco es para lo que te he traído aquí

–sonrió él, inclinándose sobre ella–. Tranquilízate. La cama es toda tuya. Yo dormiré en el sillón.

Bethany no sabía si sentirse aliviada o decepcionada. Más bien lo último, sospechaba.

–No tienes que dormir en el sillón. La cama es suficientemente grande para los dos.

–Yo no estoy seguro de que sea buena idea.

Tampoco lo estaba ella, pero no era justo condenarlo a una noche de insomnio porque ella no pudiera controlar sus hormonas.

–Tú mismo has dicho que ya eres mayorcito, así que seguro que podremos portarnos como adultos.

–Eso es lo que me preocupa. Que tú eres demasiado mayorcita para compartir la cama con un hombre adulto.

–¿Tienes miedo de no poder controlarte? –preguntó ella, sin poder evitar aquel rasgo de coquetería. Le gustaba la idea de hacerle perder el control.

–Puedo controlarme igual que cualquiera.

–Yo sé que puedo controlarme, así que ¿cuál es el problema? –preguntó ella, intentando disimular los fuertes latidos de su corazón.

–Está claro que no te miras demasiado en el espejo.

–No estamos hablando de mí.

–¿Por qué estamos discutiendo? –preguntó él, exasperado–. Francamente, estoy demasiado cansado como para hacer nada. Venga, yo dormiré en el lado derecho.

Bethany saltó de la cama y, cuando salió del cuarto de baño, con la camiseta puesta, Nicholas estaba entre las sábanas. Sólo entonces se le ocurrió pensar que no había llevado nada para él y la visión de aquel amplio y desnudo torso masculino la turbaba más de lo que hubiera podido imaginar. Quizá sería más inteligente dormir en el sillón, se decía. Nicholas podría controlarse, pero no estaba segura de que ella pudiera hacerlo.

–Ni lo pienses –dijo él, como si estuviera leyendo sus pensamientos–. Hay mucho sitio en la cama –añadió, moviéndose un poco. Mientras Bethany se metía en ella a toda prisa, sentía que su corazón golpeaba contra sus costillas. Aquella había sido una mala idea. Una idea malísima–. ¿Siempre duermes en posición de firme? –rió él a su lado.

–Estoy un poco tensa –admitió ella.

–Deja que te ayude a relajarte –dijo él, tomándola por la cintura y dándole la vuelta. Al menos en aquella posición, no tenía que enfrentarse con su mirada burlona, pensaba. Ni con su torso bronceado. Pero su alivio duró poco. Cuando escondió la cara entre los brazos, empezó a sentir los dedos del hombre en su espalda–. Si tuviéramos crema, sería más fácil –susurró él. Nada haría que aquello fuera más fácil, pensaba Bethany, sintiendo que enrojecía hasta la raíz del cabello. Intentaba relajarse, pero el masaje era tan delicioso y sensual que la estaba mareando–. Esto te ayudará a dormir.

Casi no podía creerlo cuando él se dio la vuelta y apagó la luz. Unos minutos más tarde, el sonido de su respiración indicaba que se había quedado dormido.

Aquello era lo que quería y lo que tenía que ocurrir. Y, sin embargo, se sentía frustrada. Después de la intimidad de sus dedos, sentía unos deseos que ni siquiera se atrevía a expresar y eran tan espirituales como físicos. Estar con Nicholas le parecía algo tan natural que no podía explicárselo a sí misma. O quizá sí. Estaba enamorada de él. Esa era la verdad. Y no podía obligarlo a compartir su vida porque no podría darle lo que él deseaba. Tenía que marcharse para que él pudiera tener la familia de sus sueños.

La realización de que iba a perder al hombre que amaba la hacía sentir vacía; más vacía que antes.

Capítulo 9

AL AMANECER, se despertó con la extraña sensación de tener un brazo sobre su cuerpo. El peso era cálido y reconfortante, pero le hacía pensar demasiado en la forma masculina de su dueño. Durante la noche se habían movido y estaban en el centro de la cama, el uno pegado al otro.

Durante un segundo, Bethany deseó estar aún más cerca, que él la besara y la acariciara como un amante, hasta que se recordó a sí misma la promesa que se había hecho la noche anterior. Aquello no podía seguir.

Con cuidado, salió de la cama y fue al cuarto de baño para ducharse y vestirse. Después, le dejó una nota en la que decía que había bajado a desayunar al restaurante y que lo esperaría allí.

Él bajó al restaurante antes de que ella hubiera terminado su primera taza de café. Tenía el pelo húmedo de la ducha y estaba tan atractivo que algunas mujeres volvían la cabeza al verlo pasar.

—¿Has dormido bien? –preguntó, sentándose a su lado.

—Razonablemente bien, gracias. ¿Y tú?

—Siempre duermo mejor cuando estoy acompa-

ñado que cuando estoy solo –sonrió él, burlón–.
¿Te das cuenta de que ésta es la primera vez que
dormimos juntos?

–No hemos dormido juntos. Bueno, no como se
suele entender la frase.

–Yo no suelo usar esa frase muy a menudo,
Bethany –dijo él en voz baja–. Al menos, no lo he
hecho en mucho tiempo. Creo que estaba esperando que apareciera alguien como tú.

–No sigas, Nicholas –dijo ella, apartando la mirada.

–De acuerdo. Lo de anoche fue difícil para los
dos –asintió él, haciendo un gesto de dolor–. Quizá
debería expresarlo mejor. Lo de anoche fue un infierno.

–Sí, es cierto –dijo ella–. Tendré que volver a
Melbourne en cuanto hayas encontrado una niñera
para Maree.

–¿Es que voy demasiado rápido? –preguntó él,
sorprendido–. Es...

–No es por ti –lo interrumpió ella, poniendo su
mano sobre las de él–. Soy yo. Tengo... mis razones para marcharme, pero no tiene nada que ver
con lo de anoche.

–¿No puedo decir nada para hacerte cambiar de
opinión? –preguntó Nicholas. Podría decir que se
conformaría con tener una familia compuesta por
Maree y ella, pensaba Bethany. Sería lo único que
podría convencerla, pero se alegraba de que no lo
hiciera, porque sabía que no sería cierto.

–No tengo hambre –dijo ella levantándose–. Te
espero en recepción.

Antes de que pudiera darse la vuelta, una elegante mujer de mediana edad se acercó a ellos.

–¿Nicholas Frakes?

–Señorita Flynn –dijo Nicholas levantándose–. Me alegro de verla de nuevo.

–Ya no eres mi alumno, así que puedes llamarme Georgina –sonrió la mujer–. Me alegro mucho de volver a verte. Era uno de mis alumnos favoritos –añadió, mirando a Bethany. Nicholas hizo las presentaciones e invitó a la mujer a sentarse. Georgina había vivido en Melbourne durante muchos años hasta que había enviudado–. He decidido volver aquí y buscar un trabajo como tutora con alguna familia –terminó la mujer.

–¿No quiere seguir siendo profesora?

Georgina Flynn negó con la cabeza.

–A mi edad, es agotador tener tantos alumnos. Lo que estoy buscando es una familia con un niño pequeño.

–Entonces me parece que puedo ayudarla –dijo Nicholas.

El corazón de Bethany dejó de latir. Nicholas empezó a explicarle a Georgina su situación y lo que estaba buscando. Cuando Georgina aceptó el puesto, estuvo a punto de echarse a llorar. Aquello significaba que no tenía ninguna razón para seguir en Yarrawong. Comportarse como si estuviera encantada de que Nicholas por fin hubiera encontrado una persona que cuidase de Maree era una tortura.

–No tienes que marcharte. Puedes quedarte todo el tiempo que quieras para terminar tu artículo –le dijo él.

–Ya lo he terminado –dijo ella–. Ahora que tienes a Georgina, no hay ninguna razón para que siga aquí.

–¿Ninguna? –preguntó él, mirándola con los ojos brillantes.

–Has sido maravilloso, Nicholas –dijo ella–. La publicación de los planos de la casa de muñecas será un éxito para mi revista.

–Entonces, lo único que me queda por hacer es desearte buena suerte –dijo él, como si le costara un mundo decir aquello.

–Estás completamente loca –le dijo su hermano Sam cuando fue a su oficina para informarle de que se había marchado de Yarrawong–. Por lo que sé, Nicholas Frakes no quería que te fueras. De hecho, yo creo que quería que te quedases. Pero no como niñera de Maree.

–Lo que quiere es una familia. Lo único que yo no puedo darle. ¿Te importa si cambiamos de tema? –rogó, angustiada–. Facturas, facturas y más facturas. ¿No podías haberlas quemado, Sam? –preguntó mirando el correo.

–Esta carta puede alegrarte –dijo él sacando una carta del bolsillo–. Es de la editorial Hollander.

–¿La has leído? ¿Qué dice? –preguntó ella, alargando la mano para tomarla. Pero él la apartó, con una sonrisa traviesa.

–Me dijiste que abriera todas las cartas que parecieran importantes –contestó él, abriendo el sobre–. Dice: Querida señorita Dale...

La impaciencia hizo que Bethany se la quitara de la mano y la leyera con avidez, cada segundo más asombrada.

–La editorial Hollander quiere comprar mi revista y convertírla en una de gran circulación. Y quiere que yo siga siendo la editora. Me piden una entrevista... Dios mío, es hoy. Se supone que tengo que verlos esta tarde.

–He intentado llamarte, pero ya te habías marchado de Yarrawong y no sabía cómo ponerme en contacto contigo.

–¿Qué hago, Sam?

–Tienes que ir –contestó su hermano–. Los de la editorial Hollander deben pensar que tu revista tiene futuro, porque si no, no te harían una oferta.

Un mes antes aquella noticia la hubiera emocionado, pero no en aquel momento. Todo lo contrario. Aunque le había dicho a Nicholas que aquel era su sueño, no estaba segura de que lo fuera en realidad. Gracias a él nunca se había sentido tan confusa en su vida.

–Será mejor que vaya a casa a cambiarme–. Tendré que ponerme algo elegante.

–Que la editorial Hollander quiera comprar tu revista no significa que tengas que venderla.

–¿Cómo sabes lo que estoy pensando?

–Digamos que te conozco hace mucho tiempo. Tienes cara de estar a punto de perder algo, en lugar de ganar lo que siempre has deseado.

–Siempre lo había deseado... pero eso era antes. Aún sigo deseando que la revista sea un éxito, pero...

–Pero no si el precio es tu libertad –dijo él–.

¿Por qué crees que yo mantengo esta pequeña empresa, a pesar de todo el trabajo y las preocupaciones?

–Porque te gusta hacer muebles bonitos.

–Me gusta hacer muebles diferentes, no muebles de serie. Y me gusta saber que mis empleados se sienten orgullosos de lo que hacen –corrigió él–. Lo hago por pasión, igual que tú con tu revista.

–Eso parece un discurso, hermanito.

–Espero que lo recuerdes mientras los de la editorial te ponen un maletín lleno de dinero delante de las narices –sonrió él–. Y ahora, adiós. Los dos tenemos cosas que hacer.

–Deséame suerte.

–Buena suerte –dijo su hermano, abrazándola–. Si eso es lo que quieres.

–Claro que es lo que quiero. Gracias, Sam –susurró ella, intentando controlar la punzada de dolor que sentía en el corazón.

Mientras se vestía para ir a la entrevista, no podía dejar de pensar en aquello. Hasta aquel momento, la revista había sido un poco como su propio hijo, un trabajo más de amor que de negocio, un poco como la empresa de Sam. ¿De verdad quería verla convertida en una revista de gran tirada, con otra gente tomando decisiones sobre ella?

Era lo que le había contado a Nicholas, pero ¿era ese el futuro que deseaba? No podía tener hijos, pero eso no significaba que no pudiera tener una familia. Hasta que Alexander había reaccionado de forma negativa, su deseo había sido adoptar un hijo, como habían hecho sus padres. Ellos habían pensado que era injusto seguir teniendo hijos propios cuando había tantos niños en el mundo que necesitaban el calor de un hogar.

Se alegraba de tener aquella reunión porque de ese modo se olvidaría de Nicholas. Durante la noche, no podría dejar de pensar en él, pero por el momento tenía que concentrarse en la editorial Hollander y sus propósitos de comprar su revista. Tenía que ir paso a paso. Era la única forma de acostumbrarse a la vida solitaria que la esperaba.

Angus Hollander, el hijo del fundador de la editorial, la acompañó hasta su oficina en el último piso de un impresionante rascacielos en Southgate.

—Si llegamos a un acuerdo, podrá tener un despacho como éste antes de lo que se imagina —dijo el hombre.

—Es impresionante —admitió ella, pero no se imaginaba a sí misma en aquel ambiente.

Angus Hollander la invitó a sentarse y puso frente a ella unos documentos de compra que Bethany hojeó sin mucho entusiasmo. El hombre se hubiera quedado muy sorprendido si supiera que no tenía ninguna intención de vender su revista. Sam tenía razón. Lo suyo era más un trabajo artesanal que un negocio. Nunca se haría millonaria, pero tampoco tendría que ir a trabajar todos los días a una oficina que no era suya para alguien que no era ella.

—Antes de que empecemos, señor Hollander, me gustaría saber qué es lo que le interesa de mi revista. La circulación es aún muy modesta.

–Me alegra de que diga «aún» porque hemos planeado aumentar la tirada considerablemente. Digamos que he oído hablar sobre usted y su revista a través de un amigo con el que comparto ciertos intereses profesionales.

Una alarma se encendió en el cerebro de Bethany.

–¿Ese amigo no será Nicholas Frakes?

–Pues sí –contestó el hombre, sorprendido–. Pero él había insistido en que no mencionara su nombre. No quería que usted pensara que elegíamos su revista por su influencia. Y no es así; hemos elegido su revista porque nos interesa –explicó, sacando un archivo con varios números de la revista–. La verdad es que le agradezco mucho a Nicholas que llamara nuestra atención sobre *La Casita Del Niño*. Tiene usted muy buen ojo para temas y diseño. ¿También se ocupa de escribir los artículos?

–No me queda más remedio. Yo soy la única persona que trabaja en la revista –explicó ella.

–Si su revista entra a formar parte de las publicaciones Hollander, usted será la editora, pero serán otros los que se encarguen de las fotografías y el diseño. Usted sólo tendrá que dar su visto bueno.

Si aceptaba la oferta de Hollander, sería como vender su alma al diablo, pensaba Bethany. Si la rechazaba, Nicholas sabría que no era tan ambiciosa como proclamaba. Pero, ¿por qué tanta complicación? ¿Por qué no podía aceptar simplemente que no estaban hechos el uno para el otro y dejarla ir?

A menos que él también estuviera enamorado

de ella. Aquella idea hizo que sintiera un nudo en la garganta. Si Nicholas se había enamorado de ella, era aún más razón para alejarse de él. Amarla tenía un precio que no estaba dispuesta a dejarlo pagar.

–Su oferta es interesante –dijo ella por fin–. Pero tendré que mostrársela a mi asesor fiscal antes de darle una respuesta –añadió. A su hermano Sam le encantaría saber que se había convertido en su asesor fiscal.

Angus Hollander asintió, comprensivo.

–Espero que su respuesta sea afirmativa –dijo, levantándose–. La publicación de revistas es cada día más especializada y si no acepta nuestra propuesta, tendremos que publicar una revista sobre miniaturas nosotros mismos.

Lo había dicho con una sonrisa, pero Bethany se dio cuenta de que era una amenaza velada. Podía unirse a ellos, pero nunca podría ganarlos. Estaba segura de que Nicholas no habría imaginado que la reunión terminaría de aquella forma cuando la había recomendado. Pero era culpa suya por haberlo hecho creer que eso era lo que quería. Nunca se hubiera imaginado que el precio sería tan alto.

Capítulo 10

VAMOS, cariño, cómete las espinacas. Te encantan las espinacas. Toma, puedes comértelas con el plátano –decía Nicholas desesperado. En ese momento, la niña tiró el plato al suelo. Aquella mañana, Maree ni siquiera había querido comer sola. Era la primera vez que hacía aquello en semanas y Nicholas se preguntaba qué secretos conocían las mujeres para tratar a los niños que los hombres aún desconocían. Georgina, su profesora del colegio y, en aquel momento, la niñera de Maree, no tenía problemas para darle de comer a la niña, pero aquella mañana estaba en el dentista. Nicholas tomó el plato del suelo y preparó uno limpio, notando en aquel momento que la cocina no estaba tan ordenada como de costumbre. Kylie tampoco iría aquella mañana a trabajar y no podía recordar por qué le había dado la mañana libre. Nicholas lanzó un suspiro. ¿Es que no podía hacer nada solo? ¿Tanto dependía de las mujeres? No eran *mujeres*, tenía que reconocer. Era *mujer*, en singular. Podía vivir prescindiendo de todo el mundo, excepto de la mujer que había decidido abandonarlo–. Tú también echas de menos a Bethany, ¿verdad, cariño?

–Ba, ba, ba –empezó a balbucear la niña al oír aquel nombre.

–¿Quieres decir Bethany? Yo también –dijo él–. Pero no nos servirá de nada porque no va a volver. No podíamos competir con una revista sobre casas de muñecas. Tiene gracia –añadió, tirando un paño de cocina contra la pared–. ¿Quién me iba a decir a mí que me dejaría ganar por una maldita revista?

–Ba, ba, ba –insistía Maree.

–Vamos, cómete ésto por Bethany –susurró él. Maree lo miró con interés y después metió la cuchara en el plato.

–Ba, ba, ba –decía la niña. Por un momento, Nicholas creyó que el nombre la había inducido mágicamente a comer, hasta que vio cómo volvía a tirar el plato al suelo.

–Eres igual que tu padre, ¿verdad, hija? –empezó a reír él.

La niña no sabía si su padre reía con alegría o con un ataque de histeria y le daba igual. Lo importante era reírse y la carita sonriente hizo que Nicholas recuperase un poco de alegría. Sólo un poco porque se sentía desolado.

Había llenado el plato número tres cuando empezó a sonar el teléfono y lo tomó sujetándolo entre el cuello y la oreja, mientras volvía a intentar dar de comer a Maree.

–¿Sí?

–Me han dicho que podría encontrar a Bethany Dale en este número. ¿Puedo hablar con ella?

El tono de la mujer era profesional y cortante y los cinco sentidos de Nicholas se pusieron alerta.

–¿De parte de quién?

–De la clínica de fertilidad de Southgate. ¿Con quién hablo?

–Soy el doctor Nicholas Frakes, el prometido de Bethany. Ahora mismo no está aquí, ¿puedo darle el recado? –preguntó, mirando a Maree, que parecía concentrada en la conversación. Mentir era algo que no esperaba que ella copiase. No era algo que él hiciera a menudo, pero cuando la mujer había dicho que llamaba de la clínica de fertilidad no había podido evitarlo. Tenía que saber por qué Bethany recibía una llamada de ese tipo.

–¿Le importa decirle que llame a la doctora Jamison sobre los resultados de su prueba?

–¿Los resultados? –preguntó él, sintiendo como si alguien lo hubiera golpeado en el estómago–. Mire, estamos a punto de irnos a Inglaterra, así que será mejor que me dé el recado a mí y yo se lo haré saber.

–Pues... no sé, pero siendo usted su prometido, supongo que está bien, doctor Frakes –dijo la mujer, un poco indecisa–. Será mejor si es usted quien se lo dice. Seguramente necesitará apoyo.

–Yo le daré todo el apoyo que necesite –dijo Nicholas, con todo su corazón. ¿Estaría Bethany enferma?, se preguntaba con el pulso acelerado. ¿Sería esa la razón por la que había querido marcharse?

–Entonces, dígale por favor que los resultados son negativos. Sin cirugía, no tiene ninguna oportunidad de concebir un hijo de forma natural y sólo un 30 por ciento de posibilidades si se opera. Es una operación con riesgos y, por eso, no se reco-

mienda en una persona que está completamente
sana. Quizá haya alguna otra posibilidad, pero eso
tendré que discutirlo con ella cuando vuelvan ustedes de viaje.

–Ah, claro, el viaje –dijo Nicholas. La cabeza le
daba vueltas–. Le daré a Bethany su mensaje, no se
preocupe.

–Gracias, doctor Frakes.

–De nada.

Para la mayoría de las mujeres, aquella sería
una noticia terrible, pero él sólo podía pensar que
la doctora había dicho que Bethany estaba «completamente sana». Por un momento, había pensado...

Bethany se encontraba bien y eso era lo más importante, pensaba Nicholas, dándose cuenta de que
le temblaban las manos. No se estaba muriendo.
Sólo que no era fértil. Entonces se dio cuenta de
algo.La mujer a la que amaba, tenía que admitirlo
de una vez porque no había otra forma de entender
sus sentimientos hacia Bethany, la mujer que
amaba no podía tener hijos. Se quedó mirando a
Maree, asombrado.

–Ahora sé por qué se ha ido. Y es culpa mía.

–Ba, ba, ba...

–Sí, Bethany. Se ha ido porque soy un bocazas
–explicó. ¿Cuántas veces le había dicho que quería
tener una gran familia? Cada vez que lo decía, tenía que ser un golpe para ella.

No había querido hacerle daño, pero eso no
cambiaba las cosas. ¿Cómo podía haber estado tan
ciego? Él deseaba tener hijos, muchos hijos. Pero

más que cualquier otra cosa en el mundo, quería a Bethany. Prefería un millón de veces tenerla a ella.

Se sentía inquieto y tuvo que levantarse para pasear. Georgina tardaría una hora en volver y, en cuanto lo hiciera, él se marcharía a Melbourne. Había prometido darle un recado y cumpliría su promesa.

—Hay un lío tremendo —se quejaba Stella, mientras pasaba al lado de una escalera y unos cubos de pintura en el pasillo del albergue. El histórico edificio necesitaba muchas reparaciones y había decidido que no podía seguir posponiéndolas.

—He elegido un buen momento para volver al trabajo —sonrió Bethany.

—Me alegro de que lo hayas hecho. He tenido que hacerlo todo sola desde que te fuiste y hasta que no estén terminadas todas las reparaciones no quiero contratar a otra persona. No sabes cómo te agradezco que te quedes hasta entonces. ¿Estás segura de que no puedo convencerte para que te quedes?

—No, Stella. Tengo que tomar una decisión importante sobre mi vida.

—Eso suena muy serio. Veo que trabajar en el albergue no está en tu lista de prioridades.

—Me encanta trabajar con los niños, pero...

—Ya lo sé. No es una opción de futuro —terminó Stella la frase—. No te preocupes, no voy a insistir... demasiado.

—Gracias por la advertencia —rió Bethany. Stella

había colocado a casi todos los niños en casas de acogida hasta que terminasen las reparaciones, pero quedaban cinco niños de menos de dos años para los que no habían podido encontrar casa y comprendía que Stella estuviera angustiada. El sueldo era muy bajo y casi siempre andaban cortas de fondos, así que Stella estaba acostumbrada a usar todos los trucos del mundo para hacer su trabajo. En lo que se refería a los niños, no tenía escrúpulo alguno para conseguir lo que necesitaba para ellos.

Tuvieron que apretarse contra la pared cuando un obrero pasó a su lado cargado con otra escalera.

–Un momento, jovencito –dijo Stella–. Aquí no se puede fumar –añadió, tomando el cigarrillo que el chico llevaba en la boca y tirándolo al suelo. Lo primero que voy a poner cuando hayamos terminado es un cartel con la prohibición de fumar.

El joven miró los restos de su cigarrillo en el suelo y después miró a la mujer.

–Lo que usted diga, señora –dijo por fin, dándose cuenta de que no valdría la pena discutir.

–Doctora Trioli –corrigió ella–. ¿Cuánto van a tardar en pintar?

El pintor prácticamente se puso firme, con la escalera al hombro como si fuera un fusil.

–Un día y medio por lo menos. Podría traer más gente...

–Un día y medio está bien –dijo Stella. Bethany sabía que no tenían presupuesto para pagar más obreros–. Pero no vuelva a fumar dentro del albergue, ¿de acuerdo?

–Sí, señora... sí, doctora.

–Por cierto, ¿podría echarle un vistazo a la puerta de mi despacho? He tardado diez minutos en abrirla esta mañana. No sé qué le pasa al picaporte.

El hombre parecía aliviado por poder redimirse frente a ella de alguna forma.

–Lo haré mañana a primera hora, si le parece –dijo el hombre antes de desaparecer.

–Eres una chica dura... doctora –rió Bethany. Pero había admiración en su tono. Debía de ser maravilloso tener tanto carácter como Stella, estar tan segura como ella de lo que esperaba de la vida y hacer lo que fuera necesario para conseguirlo, pensaba Bethany. Stella se parecía mucho a Sam; los dos tenían visión. A ninguno de los dos le importaba el dinero o lo que la gente pensara de ellos. De repente decidió lo que iba a decirle a Angus Hollander. Podía editar una revista parecida a la suya si ese era su deseo porque ella pensaba seguir adelante con *La Casita Del Niño* y trabajaría duramente para mantenerla a flote. No sería fácil, pero sí más satisfactorio que venderla a una gran editorial–. Gracias, Stella –sonrió de repente Bethany, sintiéndose por primera vez en mucho tiempo segura de lo que quería.

–No sé por qué me das las gracias, pero en fin... –dijo la otra mujer.

El resto del día estuvo lleno de actividad, entre cuidar de los niños, entretenerlos y mantenerlos limpios. Una horas más tarde los había acostado en un improvisado dormitorio y estaba quitándose yeso del pelo cuando Stella asomó la cabeza por la puerta.

–Tienes una visita, Bethany.

–Espero que sea Sam –susurró ella. Al menos él entendería porqué su aspecto era más bien de necesitar protección en lugar de darla. Tenía manchas de yeso y potitos de niño por todas partes. Afortunadamente, su mandil era lo que se había llevado la peor parte y cuando se lo quitó tenía un aspecto medianamente decente. Pero su corazón se paró durante un segundo al reconocer la alta figura masculina que la esperaba en el vestíbulo–. Nicholas, ¿qué estás haciendo aquí?

–Estoy bien, gracias –sonrió él, irónico–. Yo también me alegro de verte. Estás guapísima.

Bethany intentaba resistirse, pero su presencia levantaba su ánimo hasta alturas increíbles. Inmediatamente, se sentía más alegre y con ganas de vivir.

–Lo dudo –sonrió ella, pasándose la mano por el pelo.

Él no dejaba de mirarla y Bethany se preguntó si se habría fijado en el resto de su apariencia en absoluto.

–Yo te encuentro maravillosa.

–¿Qué quieres? –preguntó, nerviosa por la intensidad de su mirada–. ¿Maree se encuentra bien?

–Perfectamente. Se ha quedado con Georgina y yo voy a invitarte a cenar.

Ni siquiera el vestido de Cenicienta la hubiera convencido para que saliera a cenar con él. Estaba intentando empezar a vivir de nuevo sin Nicholas y salir a cenar con él sería un tremendo error.

–No puedo, lo siento. Llevo todo el día trabajando entre yeso y cemento y estoy horrible.

–Estás muy bien. Tu jefa me ha dicho que deberías haberte marchado hace media hora, así que toma tu bolso. Nos vamos.

–¿Dónde? ¿Por qué?

Él por fin se dio cuenta de que llevaba manchas de pintura en la blusa, pero no le dio importancia.

–A algún sitio donde no haya que ir muy arreglado. Tenemos que hablar.

Sabiendo cuánto lo amaba, hablar con él era una de las cosas que ocupaban uno de los últimos lugares en su lista de cosas que le gustaría hacer con él, pero era lo más seguro. Como él no pensaba aceptar un no como respuesta, Bethany tomó su bolso y entró en el cuarto de baño para arreglarse un poco.

Él la esperaba en la calle y no pudo evitar un escalofrío de placer cuando descubrió la admiración que había en su mirada. Se había limpiado las manchas de pintura de la blusa de gasa y su falda azul marino estaba impoluta. Se había cepillado el pelo y éste había recuperado parte de su brillo. Una rápida pasada con la barra de labios, de la que no se quitaba al besar a alguien, recordó con una sonrisa, y estaba preparada. Por fuera, al menos. Por dentro, era otra cosa.

Por contraste, Nicholas tenía un aspecto irritantemente confiado y seguro de sí mismo.

–¿Preparada? –sonrió.

–Depende de para qué.

–Para cenar y charlar, como te he prometido.

Bethany intentaba no hacerse ilusiones. Nada

iba a cambiar. Aquello solía sería una cena entre amigos, otro recuerdo de él que ella guardaría en su corazón para siempre.

Williamstown era un puerto, destinado una vez a ser el corazón de Melbourne, pero en aquel momento sólo un lugar lleno de turistas frente al majestuoso puente de West Gate. Con sus casitas blancas, sus avenidas rodeadas de árboles y el antiguo muelle, tenía el mismo aspecto que debía tener Melbourne cien años atrás.

El albergue estaba cerca de la turística calle Nelson y Nicholas la dirigió hacia allí. Frente al muelle había varios restaurantes, bares y cafés en los que sólo se exigía como atuendo llevar algo encima y Bethany empezó a dejar de preocuparse por su ropa y a pensar qué podría decirle a Nicholas para no traicionar sus sentimientos.

Saber que lo amaba hacía muy difícil mantener la ficción de que lo único importante para ella era su carrera.

Él la llevó a un café llamado Settlers. Por dentro era muy agradable, con una chimenea encendida, cortinas de encaje y objetos antiguos. Bethany siguió a Nicholas a través del salón hasta una mesa desde la que podía verse el mar.

Después de ordenar lo que querían cenar, ella lo miró, inquieta.

–¿De qué se trata?

–Primero cuéntame qué tal fue tu entrevista con Angus Hollander –dijo él.

Bethany se alegró de que, en ese momento, llegara el camarero con la cola de langosta servida sobre una cama de lechuga, porque le daba tiempo para pensar la respuesta.

—Su oferta es generosa, pero tengo que pensarlo —contestó por fin.

—Creí que aceptarías inmediatamente –dijo él–. ¿No era eso lo que querías? ¿Trabajar para una gran editorial?

—Claro que sí –contestó ella–. Ha sido un detalle por tu parte haberme recomendado.

—Amable no, práctico. Así es como funcionan las cosas. Ya te enterarás cuando empieces a trabajar con Hollander. Tiene intereses en todas partes.

—Ya me he dado cuenta. Prácticamente me amenazó con que, si no aceptaba su propuesta, él empezaría a editar su propia revista.

No había querido contarle lo de la velada amenaza, pero con Nicholas era tremendamente fácil bajar la guardia. Si no tenía cuidado acabaría contándole mucho más de lo que quería.

—Sé que es un negociador duro, pero eso es caer muy bajo –dijo Nicholas con expresión irritada.

—Mis suscriptores quieren información especializada, no sólo fotografías. Puede que se convierta en mi mayor competidor, pero pienso sobrevivir.

—Parece que ya has tomado una decisión. ¿Qué ha pasado con tus planes de conquistar el mundo editorial?

—Trabajar para Angus Hollander no tiene por qué ser la única forma de tener éxito en este negocio.

—Pero es el camino más rápido hacia el éxito. Y se supone que eso es lo que quieres.

–¿Es que lo dudas?

Bethany se fijó en que él apretaba su vaso con tanta fuerza que parecía querer romperlo.

–Siempre lo he dudado y esta vez no voy a parar hasta que me digas la verdad.

Bethany empezó a jugar con su plato de pescado. Había perdido por completo el apetito. No podía decirle la verdad porque sabía que él la rechazaría o le diría que no importaba, que podían tener un futuro juntos. Por mucho que deseara oír lo último, lo amaba demasiado para hacer que él abandonase sus sueños–. Estoy esperando, Bethany.

–Nicholas, yo...

Fuera lo que fuera lo que iba a decir, su voz se ahogó entre el ruido de la sirena de un camión de bomberos que pasó frente al muelle y paró muy cerca del restaurante. Los clientes salían a la calle para ver qué ocurría.

–Parece que el albergue de niños se ha incendiado –dijo un hombre a su lado.

Bethany sintió que su corazón daba un vuelco. Nicholas no dudó un segundo. Tiró unos billetes sobre la mesa y la tomó de la mano.

–Vamos. Quizá necesiten ayuda.

Sus preocupaciones se olvidaron inmediatamente mientras tomaba su mano y corría con él hacia el albergue, rezando para que llegasen a tiempo.

Capítulo 11

CUANDO llegaron a la esquina, el fuego parecía algo vivo. Un monstruo que se comía el viejo edificio que albergaba a los niños sin hogar. Su ardiente aliento los ahogaba cuando llegaron al final de la calle, el angosto acceso impidiendo los intentos de los bomberos para acercar su camión hasta el edificio en llamas.

–¡Los niños! –exclamó Bethany, mostrándole su acreditación a uno de los bomberos–. Yo trabajo aquí.

–¿Cuánta gente hay dentro? –preguntó el hombre.

–Cinco niños y dos adultos –contestó ella. Los pintores se habían marchado y, por lo tanto, sólo quedarían Stella y la enfermera de noche.

El bombero se dio la vuelta para hablar con otro de su compañeros.

–Mi jefe me ha dicho que la enfermera ha sacado a los cinco niños. Están comprobando que se encuentran bien –dijo el hombre un segundo más tarde.

–¿Y Stella?

–¿Quién es Stella?

–La doctora Stella Trioli, directora del centro –explicó Bethany.

En ese momento oyeron una explosión en el viejo edificio y Nicholas la obligó a agacharse.

–Los botes de pintura deben estar explotando.

–Intentaremos entrar para sacar a la mujer –dijo el bombero–. Lo mejor que pueden hacer ustedes es no acercarse.

Pasaron varios minutos, pero nadie salía del edificio.

–¿Y qué ocurrirá si Stella está atrapada y no puede salir? –preguntó Bethany, horrorizada.

–Quizá se había marchado a casa.

–Stella nunca se va a casa a su hora. Vive... vive para esos niños –explicó ella. Nicholas se levantó y un escalofrío de miedo recorrió a Bethany–. ¿No pensarás entrar ahí? Ya has oído a los bomberos.

–¿Dónde crees que puede estar Stella?

–La ventana que hay frente a nosotros es la de su despacho, pero...

–Espera aquí.

–Nicholas, no.

Pero él no la oía, o no quería escucharla porque seguía caminando hacia el edificio.

Bethany no podía quedarse allí, observando cómo el hombre que amaba arriesgaba su vida y se levantó para ir tras él. Si algo le ocurría, nunca podría perdonarse a sí misma.

Cubriéndose la nariz y la boca con el pañuelo, lo siguió. Conocía el trazado del albergue mejor que nadie y tenía que intentar ayudarlo.

Los bomberos estaban muy ocupados y nadie se molestó en detenerla. Dentro del edificio, el humo era cegador y Bethany tenía que encontrar el camino por el tacto. Cuando llegó al despacho de Stella, la puerta se negaba a abrirse.

–¿Nicholas? –gritó, intentando hacerse oír entre el ruido de las llamas.

–Estoy aquí –contestó él desde dentro–. La puerta está atrancada. Stella está inconsciente por el humo.

Bethany empujó la puerta, pero la madera se resistía a ceder. Siempre había sido difícil abrirla, pero el calor había hecho que se abombase.

–Estoy empujando, pero no puedo abrir –dijo, angustiada.

–Intenta romper la ventana desde fuera.

Bethany volvió a salir corriendo del edificio hacia la ventana del despacho de Stella. Nicholas estaba dentro con la mujer en brazos y Bethany miró a su alrededor desesperada. Tomando una piedra del suelo la levantó para que Nicholas viera lo que iba a hacer y él se dio la vuelta para evitar que los hirieran los cristales. Bethany lanzó la piedra con todas sus fuerzas y después limpió los cristales para que pudieran salir.

Un segundo más tarde, Nicholas saltaba por ella con Stella en sus brazos.

–Tenemos que llamar a una ambulancia.

–Por aquí –dijo Bethany.

Los enfermeros ya se dirigían hacia ellos y colocaron a Stella en una camilla. La mujer empezó a toser y los ojos de Bethany se llenaron de lágrimas.

–¿Te encuentras bien? –preguntó Nicholas.

–¿Me preguntas a mí? ¿Tú entras en un edificio en llamas y me preguntas a mí si me encuentro bien? Podías haber muerto –dijo Bethany, sin poder evitar que su voz se quebrara.

–Estoy bien, Bethany. No me ha pasado nada –dijo él, tomándola en sus brazos.

–Sí, es verdad, gracias a Dios. Por un momento, creí que...

–Tú te has arriesgado también. Creí que te había dicho que te quedaras fuera –dijo él, con tono de admiración. Después, miró a los cinco niños que estaban en la ambulancia–. ¿Qué va a pasar con estos niños? No creo que el albergue pueda volver a funcionar en algún tiempo.

–No lo sé. Hemos hablado con todo aquel que podía acoger niños antes de empezar las obras y estos cinco pobrecitos no tenían dónde ir.

–Entonces, sólo pueden ir a un sitio... a casa conmigo.

–¿A Yarrawong? ¿Lo dices en serio? –preguntó Bethany, perpleja. Él asintió y miró a Stella que estaba peleándose con los enfermeros para que la dejaran en paz.

–Necesitaré su autorización para llevarme a los niños, doctora Trioli.

Stella asintió, resignándose a que la llevaran al hospital para hacerle un chequeo.

–Menos mal que el minibús del albergue estaba aparcado lejos –murmuró la mujer sacando unas llaves del bolsillo–. Tómelas. En él caben hasta diez personas. Iré a ver a los niños en cuanto me dejen salir del hospital –añadió, tosiendo–. Gracias a los dos por salvarme la vida. Ha sido una locura, pero no pienso quejarme.

–Lo que tiene que hacer es recuperarse –dijo Nicholas–. Los niños estarán perfectamente con Bethany y conmigo hasta que pueda encontrar un sitio para ellos.

Stella miró de uno a otro.

–Ahora entiendo cuál es esa decisión que Bethany tiene que tomar. Y no puedo culparla por dejar el albergue –dijo, antes de volver a toser de nuevo. Los enfermeros insistían en llevarla al hospital lo antes posible y, cuando se hubieron marchado, Nicholas fue a buscar el minibús y lo llevó hasta la ambulancia. El médico había asegurado que los niños se encontraban perfectamente y que podían llevarlos con ellos.

–Vámonos –dijo Nicholas–. Aquí ya no podemos hacer nada.

Dentro del minibús había un teléfono, desde el que Nicholas llamó a Georgina para avisarle de que iban hacia allí con cinco niños más.

Un par de horas antes, Bethany pensaba que nunca más volvería a ver a Nicholas y, sin embargo, estaba con él y cinco niños en un autobús con dirección a Yarrawong.

Georgina los esperaba en la puerta y ayudó a llevar a los niños a las habitaciones. Los pobrecitos tenían hambre y, aunque había tres pares de manos, tardaron algún tiempo en darles de comer a todos, bañarlos y prepararlos para pasar la noche en aquel lugar extraño para ellos.

Observando a Nicholas meter en la camita a uno de los niños, Bethany sintió una punzada de dolor en el corazón. Amaba a Nicholas y deseaba tener hijos con él como no había deseado nada en su vida, pero nunca podría tenerlos. La idea era insoportable y tuvo que salir de la habitación. Cuando Nicholas se reunió con ella en el porche, había conseguido calmar sus emociones, pero se alegraba de que las sombras ocultaran su expresión.

–Menuda noche –dijo él, apoyándose en la barandilla.

–¿Están dormidos?

–Sí. Parece que lo hacen todo a la vez: llorar, comer, dormir.

–Ocurre lo mismo en el albergue. Si uno empieza a llorar, lloran todos.

–¿Qué ha querido decir Stella con eso de que tenías que tomar una decisión?

–Aún no he decidido si voy a aceptar la propuesta de Angus Hollander –contestó ella, sintiendo que su corazón empezaba a latir con fuerza.

–Claro que lo has decidido –susurró él, tomándola en sus brazos.

–Parece que sabes más que yo.

–Sé que no vas a trabajar para Angus Hollander.

–¿No?

–Tú no eres una ejecutiva agresiva y eso es lo que Angus quiere. Además, vas a quedarte aquí, conmigo.

–Por supuesto, pienso ayudarte con los niños hasta que Stella encuentre un sitio para ellos –dijo ella, insegura. Lo único que deseaba hacer era dejarse caer sobre su pecho y decirle que se quedaría con él durante toda la vida, pero no podía hacerlo. Deliberadamente, se apartó de su abrazo–. ¿Podemos hablar de ésto por la mañana? Quiero decir, dentro de unas horas –añadió, intentando que su voz sonara despreocupada. Estaba a punto de amanecer y la primera luz anaranjada empezaba a asomar por el horizonte–. Estoy agotada.

–Tengo una idea mejor. Ven conmigo –dijo él, tomándola de la mano.

Los dedos de él en su mano despertaron una mezcla de alarma y emoción. No tenía ni idea de adónde la llevaba y cualquier sitio sería un peligro, sabiendo lo que sentía por él. Lo mejor sería irse a la cama... sola.

–Los dos estamos exhaustos –insistió ella–. ¿No podemos ir mañana?

–No –contestó él, llevándola hacia el jeep.

–¿Dónde vamos? –preguntó ella.

–Ya te enterarás. Ponte el cinturón; la carretera es muy mala.

A pesar de que hacía fresco, Bethany sentía una calidez inesperada. Se decía a sí misma que no pasaba nada, que podía ir con él a admirar el amanecer o lo que fuera que él quería mostrarle, sin desvelar lo que sentía por él. Pero el roce del cuerpo del hombre en cada bache no la ayudaba nada.

–¿Está muy lejos?

–Ya casi hemos llegado –contestó él.

Las acacias y eucaliptos que formaban el paisaje bajo la luz anaranjada, llenos de pájaros que empezaban a despertarse a aquella hora eran magníficos, tenía que reconocer. A pesar del cansancio, se sentía llena de vida por estar despierta a aquella hora mágica y sabía que, en parte, era culpa del hombre que iba a su lado.

En ese momento, llegaron a un pequeño claro en el que las aguas del río formaban una piscina natural que brillaba con reflejos dorados bajo el primer sol del día. Los pájaros que estaban bebiendo en sus orillas salieron volando, asustados.

–Nunca he visto nada tan bonito –dijo Bethany, con voz entrecortada. Él no podía saberlo, pero aquel paraíso tenía que ser el punto final para su relación. Nicholas paró el coche y los dos salieron para admirar el paisaje–. Está templada –exclamó cuado metió la mano en el agua–. Debe de haber un manantial de agua caliente en alguna parte.

–Es mejor que una ducha –asintió él, mirándola a los ojos.

–No puedo meterme. No he traído bañador –dijo ella, asustada de repente.

–La ropa interior que se ve en las tiendas no es mucho más grande que un bikini. Pero haz lo que quieras, yo voy a meterme –dijo él, empezando a quitarse la ropa. Bethany apartó los ojos cuando vio que él ponía la mano en sus calzoncillos, pero sólo se los estaba subiendo. Aunque no la consoló nada, porque la acción enfatizaba su abrumadora masculinidad.

Bethany se sentía mareada con la necesidad de pasar la mano por su pecho y apretarse contra él para sentir su dureza. El neblinoso claro era como un paraíso y ella se sentía tan aventurera como Eva.

Quizá un baño sería una buena idea. No habían

tenido tiempo de ducharse y los relajaría. Escondiéndose detrás de una acacia, se quitó la blusa y la falda. Llevaba unas braguitas y un sujetador de color café más decente que muchos bikinis, pero se sentía expuesta mientras caminaba hacia el agua, con los ojos de él fijos en su figura.

–Ya te he dicho que era maravilloso –dijo él, nadando hacia ella–. Y muy relajante.

El agua era una delicia, pero ella no se sentía relajada en absoluto. Le gustaría nadar, pero se sentía más protegida con el agua hasta el cuello. El cansancio estaba empezando a hacer mella en ella y el recuerdo de que tendría que abandonar a aquel hombre para siempre la entristecía de una forma insoportable. Con sólo alargar la mano...

En ese momento, empezó a nadar hacia la orilla.

–Si me quedo mucho más tiempo, me dormiré –intentaba justificarse ella. Nicholas salió del agua y la siguió hasta el coche. Allí, sacó unas toallas y empezó a secarla lentamente. Bethany no sabía si decirle que parase o que siguiera haciendo aquello toda la vida. Estaba temblando, pero no tanto de frío como de deseo al sentir los dedos del hombre en su piel.

Unos minutos más tarde, él se colocó una toalla alrededor de la cintura.

–También he traído el desayuno.

–Has pensado en todo.

–En casi todo –sonrió él–. Se me ha olvidado el vino.

Bethany se alegraba de que hubiera olvidado el vino. Estar con él a solas en aquel paisaje idílico era suficiente para hacerla perder el sentido común sin las complicaciones del alcohol.

–Si tomara una copa de vino, ahora mismo me caería redonda.

–De las cepas de Yarrawong –bromeó él, sacando una jarrita de leche y unos bollos.

–Qué bien –sonrió ella. Posiblemente, nunca volvería a tomar bollos y leche sin recordar aquel momento, pensaba mirando la bronceada piel de Nicholas. Si pudieran quedarse allí todo el tiempo y olvidarse de la realidad...

–Estás muy guapa con bigote –bromeó él, pasándole un dedo por los labios. Estaba intentando bromear, pero no había duda del deseo que preñaba su voz.

–Voy por mi ropa –dijo ella, dándose la vuelta.

–¿Por qué tienes tanta prisa? –preguntó él, atrayéndola hacia sí y apretándola contra su pecho.

Aquel era el único sitio en el mundo en el que quería estar y el último en el que debería encontrarse. Bethany abrió la boca para decir que la soltara, pero él la silenció con un beso. La besaba en la boca, en el cuello y en los hombros casi desnudos. Tenía que poner fin a aquello inmediatamente, pero no podía hacerlo. Sólo Nicholas podía hacerla sentir tan especial, tan deseada... tan admirada.

La puerta del coche estaba abierta y él la tumbó suavemente sobre el asiento trasero. Su toalla se había caído y podía sentir la suya rozando sus muslos cuando él se colocó de rodillas a su lado, acariciándola con los ojos.

Tenía que decirle que conocía su secreto, se decía a sí mismo Nicholas. Tenía que decirle que no importaba, que lo único importante era estar con ella. Pero, cuando Bethany lo miró con aquella expresión de deseo en los ojos semicerrados, drogada por la pasión de sus caricias, no quiso romper el hechizo. ¿Y si que no pudiera tener hijos no era la razón por la que no quería estar con él?, se preguntaba. ¿Si ella no lo amaba como lo hacía él? No podría soportarlo si él le desnudaba su alma y ella insistía en marcharse.

Así que se mantuvo en silencio e intentó decirle con las manos lo que no se atrevía a decirle con palabras. Era la mujer más bella que había visto nunca. No sólo bella por fuera sino que poseía una belleza interior que los años no marchitarían.

Su piel era suave como la seda y, cuando acarició sus brazos, sintió que temblaba.

Acariciarla había encendido el fuego dentro de él, pero se resistía a volver a besarla, deseando prolongar aquella anticipación. Cuando se permitió a sí mismo volver a besar sus labios, lo hacía como un hombre sediento en el desierto. Ella gimió y arqueó la espalda, enredando los brazos alrededor de su cuello y murmurando su nombre sobre su boca.

Nicholas metió la mano por debajo de ella para desabrocharle el sujetador. Tan delgada coraza para tal tesoro, pensaba. Sólo tardaría un segundo en revelarlo y entonces podría darle tanto placer como ella le estaba dando. Era tan tentador que tuvo que apretar los dientes para contenerse.

Aquella no era la forma. Bethany le importaba

demasiado para dejar que la primera vez que hicieran el amor fuera en el asiento de un coche. Quería para ella rosas, champán, música, velas y sábanas de seda. Quería darle el sol y la luna, quería llevar al cielo. Y quería que fuera «hasta que la muerte los separase».

Aún tenían que hablar de varias cosas, pero aquel no era ni el sitio ni el momento. Lo resolverían todo cuando volvieran a casa. Y entonces, cuando estuviera seguro de que nada los separaba, podrían empezar un futuro juntos.

Sin embargo, necesitaba de toda su fuerza de voluntad para no tomarla allí mismo.

–Es hora de volver. Georgina necesitará ayuda.

Aquello hizo que Bethany volviera a poner los pies en la tierra. Había estado a punto de abandonarse y la abrupta vuelta a la realidad era como una ducha de agua fría. Tenía que alegrarse de la fuerza de voluntad de Nicholas porque no estaba segura de haber podido decirle que no. Y eso hubiera sido el mayor error de toda su vida. Aquel era un lugar de fantasía, pero el mundo real los estaba esperando. Nada había cambiado, pensaba mientras se vestía. Seguía siendo la mujer equivocada para él.

Saber que aquella sería la última vez que sentiría sus fuertes brazos rodeándola era como una daga en el corazón. Y aquella herida tardaría mucho tiempo en curarse.

Exhausta por la tensión emocional, dejó caer la cabeza hacia atrás. Sólo cerraría los ojos durante un segundo...

Capítulo 12

BETHANY se quedó sorprendida al abrir los ojos y ver la cara de Kylie.

–Buenas tardes.

–¿Buenas tardes? –preguntó, desorientada–. ¿Qué hora es?

–La hora de comer. Debías de estar agotada. Ni siquiera te despertaste cuando Nicholas te trajo en brazos a la habitación.

–¿Que me trajo a la habitación? –repitió, confusa. La imagen de Nicholas llevándola en brazos a cualquier sitio era suficiente para que su corazón se acelerase. ¿Dónde estaba?, se preguntaba. El roce del satén en sus piernas confirmaba sus miedos. Estaba en la cama de Nicholas, entre las mismas sábanas que habían despertado sus fantasías eróticas el primer día.

–Te he traído algo de ropa –dijo Kylie–. Tenemos casi la misma talla, aunque yo daría lo que fuera por tener tu figura.

–Tú tienes un cuerpo estupendo –aseguró Bethany. Kylie tenía una figura estupenda. La única diferencia era que ella tenía más pecho–. Muchas gracias por prestarme ropa. Por cierto, ¿dónde ha dormido Nicholas? –preguntó, apartando la mirada, para disimular su preocupación.

–En el sofá del salón –sonrió Kylie–. Es un caballero.

–Sí –asintió Bethany. Eso lo sabía muy bien.

Cuando apartó las sábanas, se dio cuenta de que llevaba sólo la blusa y las braguitas. La falda estaba doblada sobre una silla. ¿Se la habría quitado Nicholas? No se atrevía a preguntárselo a Kylie. La idea de que él la hubiera desvestido y metido en la cama invocaba tales imágenes de intimidad que le temblaban las manos mientras tomaba la ropa.

–Nicholas me ha dicho que vienen dos periodistas para entrevistaros por lo del incendio. Parece que te has convertido en una heroína.

–Nicholas es el auténtico héroe –intentó explicar ella–. Yo sólo lo seguí.

–Eso no es lo que me han contado, así que date prisa. Llegarán dentro de un cuarto de hora.

Lo último que quería discutir era lo que había ocurrido el día anterior, pensaba mientras se duchaba. Después se puso la camiseta de color melocotón y la falda que le había prestado Kylie. La camiseta le quedaba un poco ajustada y la falda era demasiado corta, pero tendría que contentarse porque no había otra cosa.

Nicholas la miró con admiración cuando entró en el salón, indicándola que se sentase a su lado. Lo acompañaban una mujer con un cuaderno y un fotógrafo.

–Nos hemos enterado de que su prometido se ha convertido en un héroe –dijo la periodista.

Bethany miró a Nicholas, confusa.

–En realidad, la heroína fue Bethany. Si no hubiera roto la ventana de la oficina, la directora del albergue hubiera muerto por asfixia.

Aquella no era toda la verdad, pero lo único que Bethany había oído era la palabra «prometido». Podía comprender que la periodista estuviera en un error, pero no entendía por qué Nicholas no se apresuraba a corregirla.

–Creo que hay un malentendido.

–No deje que mi prometida trate de convencerla de que yo soy el único héroe, porque no es verdad. Si no hubiera sido por ella, no hubiéramos podido salir del despacho –insistía Nicholas, pasándole un brazo por los hombros.

¿Su «prometida»? Quizá estaba soñando, se decía Bethany.

–Esta es una gran historia. Amor y heroísmo en el mismo paquete.

–Pero yo... –empezó a decir Bethany.

–Tú no quieres hacerlo público todavía, ¿verdad querida? –volvió a interrumpirla Nicholas–. La verdad es que nuestro compromiso aún no es oficial. Nadie lo sabe, excepto ustedes –sonrió con cara de inocencia.

–Entonces, dejen que seamos los primeros en felicitarles. Tengo entendido que estaban celebrando su compromiso cuando empezó el incendio.

–Algo así. Estábamos cenando en un restaurante cercano cuando oímos las sirenas y fuimos a ver si podíamos ayudar –contestó Nicholas. Afortunadamente, la conversación empezó a girar entonces sobre el fuego y el rescate de Stella. De nuevo, Nicholas insistía en darle todo el crédito a ella, pero Bethany estaba demasiado confundida como para rebatirlo. No podía dejar de pensar en lo que había dicho sobre el compromiso y un escalofrío la recorrió de repente. Él había insistido en llevarla a cenar aquella noche. Quizá para pedirle que se casara con él. Bethany intentaba concentrarse en la conversación. Aparentemente el fotógrafo había estado cerca del albergue durante el incendio y tenía una fotografía de Nicholas con Stella en los brazos–. Pero no exagere la importancia de esa fotografía –estaba diciendo él–. Cualquiera lo habría hecho.

–Queremos usarla en la portada, pero también nos gustaría una fotografía de los dos –insistió el fotógrafo–. ¿Podemos hacerla aquí?

–Tengo una idea mejor. Vengan a ver lo que nos unió. ¿Han oído hablar sobre la casa de muñecas de la familia Frakes?

Bethany no podía creer lo que estaba oyendo. ¿No pensaría dejar que la casa de muñecas apareciera en la portada de un periódico? Ella había pensado ser discreta en su artículo y no especificar dónde estaba guardada para proteger a Nicholas de posibles curiosos. Pero, en aquel momento, a él no parecía importarle en absoluto.

–¿Seguro que sabes lo que estás haciendo? –preguntó Bethany en voz baja mientras se dirigían hacia la el ático.

–No voy a estropear tu artículo –contestó Nicholas–. Todo lo contrario. Esa fotografía creará más interés. Estoy haciendo lo que mi padre debería haber hecho. Voy a dejar que el pasado descanse de una vez –añadió, levantando la sábana que cubría la casa.

–Menuda historia. Un tesoro nacional descubierto por una jovencita que, además, enamora al propietario del tesoro. Después, los dos entran en un edificio en llamas, salvan la vida de la directora y encuentran casa para cinco niños. Alguien debería hacer una película.

–Los derechos son todos suyos –rió Nicholas.

Los periodistas volvieron a la casa para hacer más fotografías a los niños. No podían dar sus nombres, pero sí fotografiarlos en la cuna y jugando con Georgina y Maree.

Observando a Nicholas con los niños, Bethany se sentía helada por dentro. Actuaba como si le gustara la historia que la periodista iba a publicar, cuando sabía perfectamente que no era verdad. No había historia de amor, sólo una historia destinada a romperla el corazón.

Pero Nicholas parecía feliz mientras acompañaba a los periodistas a su coche y se despedía de ellos sujetando a Bethany por la cintura.

–¿Por qué les has hecho creer que estamos prometidos? –preguntó ella cuando desaparecieron.

–Tienes que admitir que es una historia estupenda.

–¿Y qué ocurrirá cuando sepan la verdad?

–Que tendrás que casarte conmigo para que no nos acusen de mentirosos.

Aquello era su sueño y su peor pesadilla.

–No puedo casarme contigo, Nicholas –dijo Bethany, sentándose sobre el balancín en el porche.

–¿Por qué no?

–No puedo casarme contigo porque... no funcionaría.

Él paró el balancín y la miró con tal intensidad que Bethany se preguntaba si estaría leyendo su alma.

–¿Porque no puedes ser la madre de mis hijos, Bethany? ¿Es esa la razón por la que no quieres casarte conmigo?

El tiempo pareció pararse en aquel momento. Se alegraba de estar sentada, porque sus piernas no hubieran podido sostenerla.

–¿Cómo sabes eso?

–Alguien de la clínica Southgate llamó para darte los resultados de unos análisis. Son negativos y le prometí a la doctora que estaría contigo para apoyarte cuando te diera la noticia.

–No es nuevo para mí –dijo ella sin mirarlo–. Había pedido una segunda opinión para comprobar que era cierto. A los dieciocho años tuvieron que operarme urgentemente de apendicitis y, sin darse cuenta, dañaron parte del tejido de la matriz. Por eso no puedo tener hijos.

–También mencionó que había una operación quirúrgica, pero que tenía muy pocas posibilidades de éxito.

–El primero ginecólogo que me vio opinaba lo mismo.

–Yo creo que no debes someterte a una operación tan arriesgada. A menos que quieras hacerlo.

Ella negó con la cabeza. Se alegraba de que él pensara así; al contrario que Alexander, que había insistido en que fuera adelante con la operación.

–¿Cómo convenciste a la doctora para que te diera los resultados a ti? Eso siempre es confidencial.

–Le dije que era tu prometido. Ya ves que se está convirtiendo en una costumbre.

–A pesar de eso...

–También le dije que nos íbamos a Inglaterra y que estaba hablando con el *doctor* Frakes. Lo que no le dije es que tenía un doctorado en ingeniería.

–¿Siempre te resulta tan fácil mentir?

–Sólo cuando tiene que ver con alguien a quien quiero. Cuando la doctora mencionó unos análisis, me asusté. Creí que estabas enferma. Creí que... Entonces me di cuenta de que no soportaría perderte. Por eso fui a buscarte –añadió, con voz quebrada. En ese momento, él le dio un empujón al balancín y, pillada de improviso, Bethany tuvo que sujetarse a lo primero que encontró. El brazo de Nicholas. Y le pareció suficientemente fuerte para sujetarla durante toda su vida. Pero no podía ser, se repetía a sí misma. Él conocía su secreto y no la había rechazado, pero no se había parado a considerar lo que aquello significaría para sus planes de tener una gran familia. Nicholas vio la indecisión en su cara y la levantó del balancín para encerrarla entre sus brazos–. Lo que le dije a los periodistas es la verdad. Iba a pedirte que te casaras conmigo, pero un incendio se cruzó en mi camino y no tuve oportunidad de hacerlo. Te quiero, Bethany Dale. ¿Quieres casarte conmigo?

Bethany tenía los ojos llenos de lágrimas. Aquella declaración de amor era como un sueño hecho realidad, pero no cambiaba en nada la situación.

–No puedo –dijo ella sin apenas voz–. Ahora me quieres, pero... ¿qué va a pasar con los hermanitos que quieres darle a Maree? ¿Cómo te sentirás cuando te des cuenta de que nunca podré darte los hijos que tanto deseas? –preguntó, sintiendo que decir aquello la estaba rompiendo el corazón en pedazos.

–Anoche me diste cinco niños, Bethany.

–¿Los niños del albergue? No puedes adoptarlos. La mayoría de ellos tienen padres, pero no pueden volver a casa hasta que se resuelvan sus problemas.

–Lo sé, pero supongo que hay muchos niños que sí pueden ser adoptados.

–Sí, pero...

–Siempre habrá niños que necesiten el amor y el cuidado que nosotros podemos darles –dijo él, antes de besarla. Se sentía excitada como nunca y se apretaba contra él, sin entender nada de lo que estaba ocurriendo, pero sin saber cómo ponerle fin. Y estaba segura de que él no se lo permitiría.

–Nicholas, yo... –empezó a decir ella de nuevo, pero él la silenció con un beso–. No podemos...

Él seguía besándola cada vez con más fuerza. Cuando por fin la dejó respirar, sus ojos brillaban.

–¿Sigues buscando excusas tontas, mi amor?

Bethany se quedó silenciosa durante un segundo. Si volvía a intentar hablar, él la silenciaría con un beso. Lo cual no era mala idea.

–Yo... –volvió a decir. Los labios de él volvieron a tomar los suyos y, de repente, se sentó sobre el balancín, colocándola sobre sus piernas. Cuando finalmente apartó sus labios, Bethany se sentía tan débil que sólo podía quedarse apoyada en su pecho. Pero tenía que hacerle entender–. Por favor, deja que diga algo.

–Sólo si no es una objeción.

–No es que no quiera casarme contigo –dijo rápidamente, para evitar que él volviera a besarla–. Te quiero, Nicholas.

–¿Pero?

–Pero mi problema sigue siendo el mismo. ¿Qué pasará en el futuro cuando te arrepientas por no tener tu propia familia? ¿Cómo puedo robarte ese sueño?

–Seguiremos teniendo el sueño, cariño. No sabía lo que te pasaba y por eso nunca te he contado toda la historia. Recuerdas que el modelo de familia que quería seguir era el de mi tía Edna, ¿verdad? Uno de sus hijos es vietnamita, el otro es africano y el tercero un niño aborigen.

–¿Quieres decir que son adoptados?

–Todos ellos. Mi tía tampoco podía tener hijos, pero eso no le impidió llenar la casa de niños. La verdad es que casi nadie se acuerda de que son adoptados.

–Nicholas, ¿estás seguro de que eso es lo que quieres?

–Tú eres lo que yo quiero –contestó él, levantando su barbilla con un dedo–. Cuando pensé que podías estar enferma, casi se me parte el corazón.

No quiero vivir sin ti, Bethany. Di que te casarás conmigo o me cuelgo de este balancín.

Era una idea tan absurda que Bethany tuvo que echarse a reír. El balancín no mediría más de un metro y medio y él, más de un metro ochenta. Pero no podía negarse a sí misma la sinceridad que había en su voz ni el amor que veía en sus ojos.

–Me casaré contigo para salvarte la vida –susurró ella, mientras por primera vez dejaba que la alegría y el deseo que sentía por él asomaran a sus ojos.

–Tú eres mi vida y, en cuanto nos casemos, te darás cuenta de que estamos hechos el uno para el otro.

–¿Tenemos que esperar hasta entonces? –susurró ella. Sería el tormento más dulce de su vida. Estaba temblando con la idea de pertenecerle, de estar entre sus brazos. Sus besos la hacían desear más, todo lo que él podía darle y sabía que sería suficiente para toda su vida.

Dentro de la casa, un niño empezó a llorar y, un segundo después, se unió otro y otro, hasta que parecía un coro de voces infantiles.

–Me parece que habrá que esperar –sonrió Nicholas.

–Deberíamos entrar para ayudar a Georgina y Kylie –dijo ella, sin moverse.

–Dentro de un momento –dijo él, también sin moverse.

Un poco más tarde, Nicholas le permitió por fin atender a su familia temporal. Pero, mientras lo hacían, no dejaba de mirarla como si estuviera acariciándola. Maree también parecía sentir el cambio en su relación porque miraba de uno a otro con carita alegre. Entonces levantó los brazos hacia Bethany.

—Ma, ma, ma...

—¿Tú crees que lo sabe? —preguntó Nicholas, sorprendido.

—Pa, pa, pa, ma, ma...

Nicholas tomó a Bethany por la cintura con un brazo y a la niña con el otro.

—Parece que tienes la aprobación de Maree. Y también has tenido la mía desde el principio —dijo él, besándola en los labios. Bethany lo abrazó a su vez, dejándose ir, sintiendo que había encontrado su hogar.

—En esta habitación están todos mis sueños hechos realidad —murmuró ella sobre su boca.

—No todos tus sueños, cariño. Algunos se quedarán sólo entre tú y yo.

—¿Qué quieres decir?

Con palabras abiertamente excitantes, él empezó a decirle al oído cuáles eran sus intenciones. Si hacían la mitad de lo que él estaba proponiendo, necesitarían mucho tiempo, pensaba un poco mareada. Afortunadamente, él le había prometido que sería para siempre.

Orgullo y seducción
JENNIFER GREENE

Lo único que Rebecca Fortune deseaba era tener un bebé, y si para ello tenía que acabar en la cama con el duro investigador Gabriel Devereax, pues se tragaría su orgullo e intentaría seducirlo. Sabía que Gabriel no tardaría en alejarse de su vida, con lo que su secreto estaría a salvo... Pero fue entonces cuando una soltera empedernida como Rebecca se dio cuenta de que lo que sentía por él había superado todas sus previsiones. ¿Sentiría lo mismo alguna vez el padre de su futuro hijo... especialmente cuando descubriera la mentira?

Esta Novela es...

Era muy peligroso seducir a alguien como él y luego tratar de olvidarlo

La serie HARLEQUIN *Oro* te ofrece las novelas más brillantes y los personajes más excitantes

Nº 1-63

Las mejores novelas de...

HIJOS SECRETOS

CATHERINE SPENCER

La hija oculta

Poco tiempo después de la noche de pasión que el indomable Joe Donnelly había pasado con Imogen Palmer, esta se marchó del pueblo. Diez años más tarde, volvió y Joe quiso respuestas. Quería conocer la razón por la que se marchó... En su búsqueda de la verdad, Joe iba a descubrir una historia sorprendente, una historia que iba a culminar en un desgarrador encuentro con la hija que no sabía que tenía.

MYRNA MacKENZIE

Nunca te olvidé

Gray Alexander había vuelto con un único propósito: recuperar a su hijo. Pero la madre del niño se interpuso en su camino. Durante once años, Cassie Pratt había protegido a Robbie del rechazo de la poderosa familia Alexander, y ahora aparecía Gray, con su inolvidable carisma, pidiéndole, suplicándole, un lugar en la vida de su hijo. ¿Cómo podía resistir la anhelante sinceridad de aquellos ojos, la fuerza de su amor de padre? Y si el muchacho era capaz de abrir el corazón a su nuevo padre, quizá también ella pudiera abrirle los brazos a su antiguo amante...

No. 4

Deseo®

UNA PROMESA EN TUS LABIOS

Leanne Banks

N° 5-63

Nada más ver a la belleza que acababa de chocar contra su granero, el ranchero Jared McNeil supo que tendría problemas. Como Mimi Deerman no tenía seguro, sugirió pagarle la deuda cuidando de sus sobrinas. Jared intuía que aquella mujer escondía algo, pero sus curvas conseguían que lo olvidara todo. Y no tardó en meterse en su cama y conseguir traspasar todas sus defensas.

La princesa Michelina Dumont había llegado a Wyoming en busca de su hermano, pero había encontrado la pasión. ¿Cambiaría la corona por el amor de su vida?

Tan cerca... y al mismo tiempo tan lejos...

CARA COLTER
Un amor por Navidad

*Sí, Jamie, Papá Noel
existe...*

Beth Cavell quería que su sobrino huérfano creyera en Papá Noel. Ella sola no podía darle los regalos de Navidad que el pequeño quería, y eso que eran solo dos: nieve... ¡y un papá! ¿Qué debía hacer una buena tía como ella? Por de pronto alquilaría una cabaña en medio de la hermosa naturaleza de Canadá...

Allí fue donde encontró a Riley Keenan, que sentía la misma simpatía por la Navidad que por los niños y sus tías; es decir, ninguna. Pero poco a poco, la encantadora Beth y su sobrino estaban consiguiendo ablandarle el corazón. Y entonces empezó a caer la nieve. ¿Se cumpliría también el segundo deseo de Jamie?

Nº 6-23